珍重待春风

那些你不曾拥有的岁月会给你

白先勇
林清玄
余光中
等著

隐地 主编

长江出版传媒 长江文艺出版社

新出图证（鄂）字 03 号

图书在版编目（CIP）数据

珍重待春风 / 白先勇等著．隐地主编 —武汉：长江文艺出版社，2014.4
ISBN 978-7-5354-5837-7

Ⅰ．①珍… Ⅱ．①白… ②隐… Ⅲ．①散文集—中国—当代 Ⅳ．① I267

中国版本图书馆 CIP 数据核字（2014）第058902号

著作权合同登记号　图字：17-2013-192
本著作物经厦门墨客知识产权代理有限公司代理，由九歌出版社有限公司授权西藏
长江时代图书有限公司，经长江文艺出版社，在中国大陆出版、发行中文简体字版本。

特约监制：刘杰辉　郎世滨　　　选题策划：马志明　刘　萍
产品经理：孙　霁　　　　　　　责任编辑：吴　双　衣　扬
装帧设计：

出版：长江出版传媒　　　　　　地址：武汉市雄楚大街 268 号
　　　长江文艺出版社　　　　　邮编：430070
发行：长江文艺出版社
　　　北京时代华语图书股份有限公司　（电话：010-83670231）
http：//www.cjlap.com
E-mail：cjlap2004@hotmail.com
印刷：北京盛兰兄弟印刷装订有限公司

开本：880毫米 ×1230毫米　1/32　　印张：10
版次：2014 年5月第 1 版　　　　　2014 年5月第 1 次印刷
字数：300千字

定价：32.80 元

目录
Contents

——切都是最好的安排

时间的速度是难以想象的，
流年暗中偷换，
你换了你的，
我换了我的，
有时在镜中看不清的自己，
在别人的脸上却看见了。

002　焚稿断痴情

009　人物两题

013　眼前的轮回

018　夜踯躅

024　诗史再掀一页

027　散步在传奇里

你怎样理解生活

不管你愿意或者不愿意，
每个人都需要找到一个定位。
不论这个位置能给予你怎样的生活，
是财富或者是安定。
但愿所有的人，
都不是因为无路可走才选择现下的生活。
但愿所有的人，
都不是因为无路可退才选择现下的人生。

032　　一根扁担

034　　四个音符

038　　八十自述

045　　变成男人

055　　闲居河堤边

057　　生活练习

068　　我的小物业

走过的才是人生

我们歌哭无端，
我们喜怒无常，
我们日夜无明，
无非无非，
是想在生命的幽微之际找到一丝明觉，
他乡客旅是对自由灵魂的追求及向往。

072 沧海，蓝田

076 色不迷人人自迷

079 百花深处

082 暮光秋色

085 四季桂

090 从后火车站出发的人生

093 旅行，是一首诗

099 超马行

想念却不能见的人

想在深夜跟你叙述，
叙述我走过的万水千山，
那些温暖或明亮，
疯狂或无奈，
当我辗转失眠需要勇气，
却不曾奢求，你再次的盘桓……

110　父亲与民国

119　木心三帖

124　罗兰的笑谈

128　台湾早就遗忘了我的朋友胡适之

131　马华文学无风带

141　朱介凡先生二三事

145　含泪读诗怀钟老

148　文学传播的掌舵者

不曾拥有的时间会给你

只有品尝过苦味，
才会有纯粹的欢愉。
看到那臆想的场景之时，
总会懂得所有的一切都不是信手拈来。
你所经过的每一寸时光，
都是为了迎接它，拥抱它。
原来最好的时光，都不曾虚妄。

156　蓝天·大海·结婚曲

161　大同小异的苦闷

163　恐惧游戏

171　物质的美好

174　并不会怎样

177　故　事

182　做一位内外兼顾的知识人

189　简　讯

193　小子！何莫学夫诗？

199　诺贝尔文学奖之轻与重

风 回旋处，堪寄情思

斩断不必要的杂想，
以及蜷缩在过去不肯继续往前走的那个自己。
在这个纷繁的世间，
人与人的区别，
不过是有人为自己活着，而有人不能。

204　于心有愧

214　无名浴伴

218　今昔惊梦

227　浴女图

231　黑暗里，一盏一盏的灯

236　时间的绿藻·光的游戏

240　一棵种在梦境边缘的水树

244　散文Pi的奇幻漂流

255　战地断鸿

261　河　流

活在哪里最幸福

人和人的记忆系统因目标感的不同，
而存在千差万别。
温柔婉转微风吹过的麦田，
波澜壮阔寒气逼人海岸边，
不论是缠绵不舍和绝然的虚无，
还是甜蜜缱绻的朝思暮念，
总有一处隐匿你最初或者最终的幸福。

270 恶梦里的日本

273 缪思的子民

276 世界贸易中心看人

283 全球化中说相声

287 我　看

291 台湾人懒得提的十件事

294 一只爱吃辣的狗

306 斗室里的"大观园"

一切都是最好的安排

时间的速度是难以想象的，
流年暗中偷换，
你换了你的，
我换了我的，
有时在镜中看不清的自己，
在别人的脸上却看见了。

焚稿断痴情

张纯瑛 / 文

两岸《富春山居图》合并版在台北故宫展出，引起一片讨论热潮。吴洪裕临终焚烧《富春山居图》的行径过于怪诞，自是议论焦点，有人将此举和林黛玉离世前"焚稿断痴情"相提并论，认为都是"痴"到最高点的表现。

吴洪裕热爱《富春山居图》，吃饭睡觉都不离身，他焚毁爱图可能出于两种心理：第一，相信身后世界仍有灵明，焚图犹如烧纸钱，可以带到极乐西方继续享有。第二，他无法忍受日后别人也与爱图长相左右，妒火中烧下，以烈焰永久占领《富春山居图》。无论哪一种心态，也不论其胸襟狭隘自私，他对此图确实痴爱不渝。

然而，林黛玉断气前挣扎起身焚稿，却不是吴洪裕式的痴爱不渝。让我们一起来重温那"读之不落泪者几希矣"的一幕吧！

林黛玉焚稿断痴情

近年不少人重新考据，声称《红楼梦》后四十回亦出于曹雪芹之手。你可以质疑这种论调，但无法否认第九十七与九十八回，以蒙太奇手法描叙宝玉、宝钗、黛玉一婚 丧的生死对照，堪称全书一百二十回最最动人心魄之章回。仅读回目"林黛玉焚稿断痴情，薛宝钗出闺成大礼"和"苦绛珠魂归离恨天，病神瑛泪洒相思地"，就不能不震撼作者双线铺展，两相对比，万钧笔力环环紧扣，岂是阿猫阿狗作者皆可达成？

话说黛玉听闻宝玉将娶宝钗，顿失生存意志，"唯求速死，以完此债"，健康情况急遽恶化。那厢双宝举行结婚大典，这头黛玉又咳又喘，吐血连连，身子骨虚弱下尚要示意丫头紫鹃和雪雁开箱取物，挪移火盆。

她先要求丫头拿来题诗的旧帕，"狠命的撕那绢子，却是只有打颤的分儿，那里撕得动"。继之授意丫头将火盆放上炕，她苦撑起身，将旧帕撂在火上烧了。然后，"回手又把那诗稿拿起来瞧了瞧，又撂下了。紫鹃怕她也要烧，连忙将身倚住黛玉，腾出手来拿时，黛玉又早拾起撂在火上……那纸沾火就着……雪雁也顾不得烧手，从火里抓出来撂在地上乱踩，却已烧得所余无几了。"

同段清清楚楚地写道："紫鹃早已知她是恨宝玉。"是的，林黛玉出于恨意，才将旧帕与诗稿俱焚。回目就很明确提示了"林黛玉焚稿断痴情"，请注意"断"字，投入赤焰的旧帕与诗稿，都是黛玉的痴心表征，焚成灰烬也烧尽斩断了所有痴情。这与吴洪裕毫无恨意，焚烧《富春山居图》全然出于至爱，岂可相提并论？

焚帕与稿的前因后果

咽气前，这可怜的痴心少女直声叫道："宝玉！宝玉！你好……"作者高明地保留了"好"字后面的形容词，让读者自己去填。我个人认为应是"狠"字。"宝玉！宝玉！你好狠。"既然今日娶入宝钗，那一晚，你何必叫晴雯送来手帕表明心迹呢？

宝玉因轻薄惹出金钏跳井风波，又被扯入伶人蒋玉函出走事，遭到父亲棒打成创。疗伤期间惦记黛玉，差遣晴雯去看黛玉。晴雯觉得莫名其妙去看视，启人疑窦。宝玉因此给了两条半新不旧的绢子带去，黛玉乍看一头雾水，旋即了解宝玉心意。

西方文学评论家有谓，中国古典文学只重情节进展，缺少心理剖析，那是他们没读过《红楼梦》才有此偏见。第三十四回描述黛玉收到手帕的复杂心理反应，<u>丝丝入扣</u>：

> 想到宝玉能领会我这一番苦意，又令我可喜；我这番苦意，不知将来可能如意不能，又令我可悲；要不是这个意思，忽然好好的送两块帕子来，竟又令我可笑了。再想到私相传递，又觉可惧。他既如此，我却每每烦恼伤心，反觉可愧。如此左思右想，一时五内沸然，由不得余意缠绵，便命掌灯，也想不起嫌疑避讳等事，研墨沾笔，便向那两块旧帕上写道……

此段一共用了可喜、可悲、可笑、可惧、可愧五个"可"字形容黛玉五味交集的感怀。就在她题了三首诗于手帕上后，感觉身体严重不适而起身照镜，"只见腮上通红，真合压倒桃花，却不知病由此起。"我怀疑"病由此起"应是"此由病起"之误，意指两颊通红乃是由于罹患无药可救的痨病，将不久于人世。若为"病由此起"，则是说尔后夺去黛玉生命的病，罹患于她帕上题诗的这晚，暗示她用情过深所致。无论哪一解释，九十七回写黛玉临终前撕帕焚稿，不可不与三十四回同读并看。

虽然作者没有明说，焚稿断痴情时刻的黛玉显然亦有五可：原先的可喜被可恨取代，余下的三可则有不同早前的诠释：可悲（痴心一片换得见弃别娶）、可笑（自己太天真幼稚才会编织不切实际的鸳梦）、可愧（女孩儿家一再对宝玉表明心迹，如今看来徒留笑柄）。唯一不变的是可惧。

原本黛玉"想到私相传递，又觉可惧"，当她面临大限，这种惧怕更令她忧虑。可以自由恋爱或乱爱的现代人，无法理解"私情传递"在旧时社会是何等坏人名节的行径，闺中女儿有此作为，尤其被视为十恶不赦。九十七回贾母明知黛玉命在旦夕，还在她背后严厉谴责："孩子们从小儿在一处儿顽，好些是有的；如今大了，懂的人事，就该要分别些，才是做女孩儿的本分，我才心里疼他。若是他心里有别的想头，成了什么人了呢！我可是白疼他了！"

黛玉没有听见外婆的责备，但冰雪聪明的她绝对了解，多年来大量抒情寄意的诗稿，断断不能于身后落入那些不懂"世间情为何物"的庸俗之辈手中，成为他们为扼杀宝黛爱情自找的良心开脱借口。于是，宛若葬花的动机，她必须将诗稿如辞枝的花朵——掩埋于火，方得以"质本洁来还洁去"的清白离开浊世。

朱淑真父母焚其稿

宋代女诗人朱淑真，有另类的焚稿断痴情。

朱淑真是北宋钱塘人，她在《璇玑图记》中自云父亲做过官，酷爱搜集珍玩，不惜高价购买看上的文物，可见家境不错。

天资聪颖的朱淑真，自幼饱读诗书，娴谙绘事，精通音律，展现多方才华；可惜她那"好拾清玩"的父亲仍无法摆脱"女子无才便是德"的陈规陋见，竟将她许配给一个庸俗不堪的官宦俗物。两人志趣扞格不入，话不投机，让朱淑真慨叹夫妻俩"鸥鹭鸳鸯作一池，须知羽翼不相宜"；在另一首诗《自责》内，她幽怨诉说自己的文学爱好长期受到夫家压抑："女子弄文诚可罪，那堪咏月更吟风？磨穿铁砚非吾事，绣折金针却有功。"

常年忍受所嫁非人的苦闷，逼得朱淑真下堂求去。之后，她有过一段甜蜜恋情，可惜为期短暂即被抛弃，带给她另一波打击。更不幸的是，朱淑真抑郁以终后，父母竟将其诗稿一起火化。

朱淑真的父母为何将女儿毕生心血付之一炬？连他们都不能欣赏自身骨肉的天赋才华？还是怨责女儿舞文弄墨造成婚姻悲剧？是怀抱着吴洪裕同样的想法，让爱女携带诗稿进入九泉？还是朱淑真如黛玉一般，羞愧不容礼教的情爱告白岂可公诸于世，而于临去前交代父母销毁诗稿？

于是一代才女唯有诗集《断肠集》传世而已。

卡夫卡知音存文稿

捷克小说家卡夫卡比朱淑真幸运多了。

卡夫卡有一位极端严苛的父亲，为他心灵烙下难愈的创伤，严父化身为不可捉摸与抗拒的各种威权形象，出现在他的众多小说中；但他比朱淑真幸运的是，有一位如同伯乐赏识千里马的知己好友布劳德（Max Brod）。

卡夫卡热爱写作，但文名始终不彰。四十一岁死于肺结核，离世前显然对作品意兴阑珊，因此写信交代好友布劳德将其出版与未付梓的小说、手稿、日记、信件、随笔……全部烧毁，他的遗愿亦可视为"焚稿断痴情"——断的是对写作终身不渝，而知音却寥若晨星的痴情吧！

幸好布劳德深知卡夫卡的作品必将在文学史上享有崇荣评价，而违逆其焚稿遗愿。这些逃过火焰的书写，日后果真让后世视为深入探索卡夫卡灵魂的瑰宝，卡夫卡地下有知，当会感谢好友惜材之恩。

卡蜜儿砸毁作品的爱与恨

差堪与黛玉"焚稿断痴情"相比的，大概是法国悲剧性女雕塑家卡蜜儿（Camille Claudel）砸毁自己的作品吧！

十八岁那年，卡蜜儿爱上了年长二十四岁的雕刻家罗丹。她是罗丹的学生、模特儿，也是情人。两人本就才华出众，炽热的恋情激发了彼此的创作灵感，交互影响到对方的风格。然而，艺术家的心高气傲，也令两人相爱容易相处难。罗丹不肯抛弃与他走过贫困，忍受他红粉知己不断的糟糠伴侣Rose Beuret，尤其是两人勃溪时起的主因。

堕胎、争吵、承诺、等待、食言、周而复始的分分合合，卡蜜儿终于了解，她无法全面赢得罗丹身心，不堪承受一次次因爱受伤的情况下，忍痛终结了与罗丹十五年的感情纠葛。然而情伤难以愈合，依旧日夜啃蚀卡蜜儿。七年之后，她流露迫害妄想与精神分裂的病征，指责罗丹抄袭她的作品，阻止她的作品展出，唆使别人谋杀她等等……她愤怒地砸毁一座座呕心沥血雕塑的作品，看得旁人胆战心惊，她却毫无所惜。啊！会对自己的作品下毁灭毒手，是出于多大的绝望与怨愤？

　　或许，唯有因爱成痴的黛玉方能明白卡蜜儿自毁雕塑的痛楚。亲手创作的诗稿与雕塑，无不掺揉了爱情、憧憬，与共同的回忆。在挚爱绝情离去后，那些恋痕斑斑的作品，徒然见证了曾经全然付出的纯情，是何等的可笑复可怜！

——原载二〇一二年四月一日《中华日报》副刊

人物两题

张腾蛟 / 文

幼年兵

像狂风暴雨摧残了树木的新枝嫩叶，

无情的战乱踩躏了你们幸福的童年。

原本是宁静乡村的童幼，或是繁华都城里的稚子，一声巨变，便成为流离路上的孤儿。前也茫茫，后也茫茫；左也枪声，右也枪声。故乡越来越远，苦难却越来越近。窜奔、跟跄、跌撞和伤痛，这条道路是如此的崎岖。

在战阵中打滚，在硝烟里浮沉，终于有缘落脚在南方的岛屿上。气候煦煦暖暖，人情温温馨馨，暂时溶解一下心胸中的那股冷凉与惊恐。

又是一声巨变——由流浪儿变成了娃娃兵。这是全世界空前绝后独一无二的称号。懵懵懂懂里，欣然接受了它，因为，那是未来的生活之所寄，衣食之所依。

矮矮的个子，瘦瘦的身躯，被裹在不太合身的军服里，成为一个连自己都不敢相认的，新的自己。

干戈也来到了手里。沉甸甸怯生生，这也算得上是生命伙伴！年纪轻心思嫩，可也知道，这与护卫社稷的日子已不远。莫待人比枪高时，大概就要赴战了！

其实，这些乱世无辜，距离断奶的日子好像还没有多久，走出襁褓的时间还没有多长。对他们来说，那是一个向父母撒娇的年龄，是一个用压岁钱买糖吃的年龄，是一个和童伴们玩弹珠的年龄，也是初踏人生阶梯一级一级向上攀爬的年龄。然而，父母在哪里？压岁钱在哪里？弹珠在哪里？以及，人生的阶梯在哪里？

简单的口粮，粗淡的饮食，轻薄的被褥，冰冷的军床，考验着小娃儿们的心志。好的是，日日夜夜里，长官们的关爱，孙将军的慰勉，暖流般地，灌注在他们的生活里。因此，尽管日子有些苦涩，但是，课堂上的研读，操场上的架式，却不输多些岁数的学长。

后来，岁月帮他们茁壮，便兄弟登山各自努力去了。转眼间，就是悠悠一甲子，匆匆六十春。

注：民国三十八年国军撤退来台时，带来了大批孤苦无依（有的跟随家人或亲友）的"娃娃兵"，后来，陆军总司令孙立人将军把他们编组为"幼年兵总队"，给予教育和训练，人数多达一千三百多人。二〇一一年为"幼总"成立六十周年。三月十八日，老幼童们曾经在台北举办联谊活动。

老芋仔

青果因风害而及早离枝

日子太乱了。十几二十岁的小伙子们，吆喝着到战争里去开采和平，可是，和平不在战争里，他们反而被卷进动荡时代的大漩涡中。水深浪急，波涛汹涌，再好的泳技也抵挡不住下沉的力量。好在，也有一些幸运之手伸了出来，一一地把他们拉到岸上。

把亲情抛得老远，把乡愁带在身边，有幸也有缘，在这块既熟悉又陌生的土地上，展开了生命史上新的一页。

征战日久，身困心乏，突然有这么个地方落脚休歇，真是万万没有想到的事情。可是，危机既然仍在，所谓的休歇，只是分分秒秒，几日几时，转过身来，立即投入新的工作——在荒寂的海岸线上，筑碉堡挖战壕。

在那个缺乏机械的年代里，所有的动力是来自双手和两肩。扛着一包水泥翻山越岭，挑着两桶溪水涉过长滩，是必须挺身面对的工作环境。个人可以累垮，大众的安居不能输掉。物质条件欠缺的地方，就用辛勤和毅力来补足。

碉堡筑成之后，就是自己的家。人人都成为水泥巨炼中的一个圈环，人人都是站吞海风、卧吻沙尘的汉子。

在这里，要与风沙缔亲，要和艰苦结缘，要跟防风林及礁石丛做邻居。当冷冷的冬夜里毯不敌寒的时候，要向耐心取暖；在七分饱三分饿的时候，只能用战歌充饥。他们，用最简单的衣食维持生命，却用珍贵的生命，在阵线之内孕育安宁。

这是六十年前战时景况的一角。在以后的时日里，这数十万的参与者，有的在二十来岁的时候伤亡了，有的在三四十岁的时候病逝了，也有的，在五六十岁的时候就提前熄灯打烊就寝了。剩下来的，有的事业有成丰衣足食，有的坐吃退俸可以度日，也有的人，贫病交加潦倒半生。

岁月催人老，时光不饶人，当年的青年战士，变成今天的白发老人。而且，有了这样的一个头衔和称呼。

因为他们曾经用青春为大家换取升平年代，常常会赢得尊重和掌声，对于那些不幸的人，也会给予怜悯与同情。不过，他们也承受着来自少数人的讥讽、戏谑和侮蔑。这又何必呢！不管他是来自什么地方，毕竟是爱过这块土地，为我们的福祉奉献过心力。耄耋老者中，并不全然是好康一生，那里面，也有曾经捡过破烂的、挑过粪桶的、街头叫卖的、修雨伞擦皮鞋和看大门的。更奇特的是，虽然日子遭阴暗占领，生活被困窘纠缠，有些人却仍然撑着硬骨头，济助贫病、收养遗孤、慨捐积蓄或是以各种方式"遗爱人间"。他们，不是恶人，而是善士或弱者。

——原载二〇一二年二月《文讯》杂志第三一六期

眼前的轮回

林清玄 / 文

到银行办事，等着叫号码的空隙，走到书报架想找一份报纸或杂志来看。

所有的书报都被拿光了，只剩下一份我从来不看的小报挂在架子上。

为了打发时间，我只好看那份小报。

有一个熟悉的名字吸引了我的注意，是一则航运新闻，特写的记者是三十多年前和我一起跑新闻的朋友。

三十几年前，他就是跑航运新闻！三十年过去了，他还在跑航运新闻！航运是新闻中的冷门路线，除非有空难或船难，航运记者几乎是报社中的隐遁者，写着一些无关紧要的新闻，过着一成不变的生活。

无关紧要了三分之一世纪，一成不变的三十几年，人生不蹉跎也难矣！

想起三十几年前我刚当记者的时候，充满了往前冲的理想与热情，如果我不转换路线、改变生涯，过了那么长的时间，或许也会那样，成为无关紧要、一成不变了。

高楼目尽欲黄昏，梧桐叶上萧萧雨！也许，没有也许，我们的
生命仿如陀螺，在小圈子里转着转着，愈转愈慢，愈转愈慢……

三十年，准备倒下了！

春风依稀十里柔情

突然叫到我的号码。

我走到柜台，遇到一个熟悉的面孔。

柜台的银行员是二十几年前帮我开户的小姐，她的微笑、姿
势、身材几乎没变。

但她的脸上已满是皱纹，她的头发已经半白了。

我想起当年的那个大学刚毕业的银行员，多么的青春秀丽，春
风依稀十里柔情，夜月已是一帘幽梦，翠消香减，就像是一个不动
的电影镜头，镜中的人速速快转，花瓣正准备一瓣一瓣地辞枝。

在银行里，我也忍不住低喟叹息！

时间的速度是难以想象的，流年暗中偷换，你换了你的，我换
了我的，有时在镜中看不清的自己，在别人的脸上却看见了。

生命只是一再还魂

出了银行，走过繁忙的东区街道，一大面的电视墙，正在重播
昨夜的《新还珠格格》。

想到十多年前，《还珠格格》播出的时候，小儿子每到播出
的时间，就会跑前跑后、跑上跑下地大喊："格格来了！格格
来了！"

现在，小儿子已经比我高出半个头，是帅气的少年。《还珠格格》又从头来一次，人物已全改换，剧情却是还魂！

生命或许如此无常，只是一再地还魂。

我们看到繁华街头不断往前走的人，他们的人生并没有往前走，只是每天不断地回到原点，只是不停止地轮转，有的人每天跑航运新闻，一跑三十年！有的人每天按时打卡，坐在同一张银行的椅子上！大部分人的生活就是这样，每天的出门，只是绕了一圈，回到原点！

这样一想，汗毛都会竖立，人生是多么可惜呀！

一艘为名一艘为利

乾隆皇帝和法磐禅师坐在金山顶上，看着往来如织的江上船帆，乾隆问道："这江上每天有多少船来往呀？"

法磐说："只有两艘船！"

"怎么会只有两艘呢？"

"一条为名，一条为利！"

没有任何可以拥有

为大名大利奔赴前程还是好的！

可叹的是，大部分人只为了谋生的小利，既未奔赴远方，反而在小小的地方打转！

轮回不是前世，也不是来生，轮回只在眼前。

如果人生不是浩荡前行，就是绕了一轮又回到原点。

蒙昧无知是活在轮回。

沉沦欲望是活在轮回。

一再悲伤是活在轮回。

失去觉知是活在轮回。

直到有那么一刻，如蝉爬出了焦土，似蝶突破了蛹壳，像蜉蝣冲过了激流，仿佛枯枝抽出了新芽，浓云中飙出了闪电……终于六牙香象截断了众流，金黄狮子吼绝了迷惑，大海潮音唤醒了幻梦，眼前的轮回才露出了曙光。

菩提本无树，你的生活并没有原点，你不必一天一天回到那个局限。

明镜亦非台，这样可以活下去，那样也可以活下去，你不必非要抱着忧悲苦恼生活下去。

本来无一物，在你的左边是无常，在你的右边是无住，没有任何事物你可以带着，也没有任何，可以拥有。

何处惹尘埃？

绕着圈子是在走向空无，向前奔行也是走向空无，你的心，又何必执著？你的爱，又何必悬念？

一切都平息了

我们歌哭无端，我们喜怒无常，我们日夜无明，无非无非，是想在生命的幽微之际找到一丝明觉。

观照到轮回的起念、追寻与终结，一切有为法，如梦幻泡影。

如露亦如电，如箭亦如梭，如风，亦如弓！

如是观，一切都平息了，轮也不转，回也无悔！

跨成一道彩虹

云散长空雨过，雪消寒谷春生。

但觉身如水洗，不知心似冰清。

我喜欢憨山大师的短诗，在云散雪清的那一刻，一切都是明明白白了。

你三十年来都跑同一条新闻也罢，你二十年来都坐在同一个银行椅子也罢，你的日子一直在转圈圈也罢，只要在某一个特别的早晨，有了察觉，你的轮回在那一刻，就跨成一道彩虹！

——原载二〇一二年三月一日《联合报》副刊

夜踯躅

王盛弘 / 文

淡淡的三月天，杜鹃花开在新公园。

新公园如今已经不叫新公园，一九九六年它改名为二二八纪念公园，纪念馆偏安东南一隅，独有一勺静美，纪念碑则矗立公园正中央，像攘臂呼一个口号，多少惊动了抒情的氛围。杜鹃花散布公园各个角落，平日里隐姓埋名，一俟三月纷纷现身；自西徂东，衡阳路出入口横贯公园至常德街这段步道最见繁盛，远远望去，修剪得团团簇簇的灌木丛上像披挂了一床又一床白的粉的红的花被单，依这态势，若在野地里任它野生野长，肯定铺天盖地，莫怪乎杜鹃花有"映山红"的别称。

"踯躅"是杜鹃的另一个名字，日本用的就是这个古汉名，山踯躅、岩踯躅、莲华踯躅、皋月踯躅……品类繁多；"羊踯躅"一名则专指黄花杜鹃，有大毒，羊食其叶，踯躅而亡。

刚来的这个春天延续刚走的那个冬天，冷雨尖酸冷风刻薄，晴日只是点缀。我在晴日淡淡三月天来到新公园，远眺活像喜气洋洋花被单的杜鹃花丛，凑近端详，才发现盛放的花朵全让风雨摧折了，破碎，残败，伤痕累累，一朵朵一片片沾黏在枝枝叶叶上，一路看去让人好舍不得，又好像不小心目睹旁人的难堪，当事者不一定以为意，我自己反倒尴尬了起来。

唉，如果有夜的掩护就好了，一如那些年我所穿梭过的那些杜鹃花丛。

那些年，我好像患上了一种好想谈恋爱的传染病，尤其好发于假日前夕晚饭过后八九点钟，心中有止不住的骚动，也许约三两朋友，绝多数时候就单枪匹马前往公司。

迎着博物馆直走馆前路，经过左右两只铜卧牛，黑魆魆树荫底有一盏盏幽微烛火像漂浮于黑暗大海之上；每盏火光后，各有一名算命师坐在板凳上，烛映出他们不动声色的五官。越过算命师，不管自左方或右方旋转门入园，穿来绕去，最终总是抵达春秋阁前莲花池畔。立于池畔水泥护栏旁，自几步台阶高俯视，一只又一只男人站在一蓬蓬荫影底，等着另一只男人来解除他们被变身为树的咒语；间或绕着水池一遍又一遍，宛如笼鼠永不知休地跑着转轮；或是走下台阶，成为花间树丛里人影子中的一只。

常有机会与陌生人聊上几句。在真正聊上几句之前，全靠眼神的试探、接收与对焦，一个微笑的示好。请问现在几点钟？可以跟你借个火吗？你在等朋友？有看对眼的人吗？总从一个老掉牙的问句开始，接下来是迎是拒很快就真相大白了。

在隐藏了用以标志身份的信息，套进昵称的躯壳好像更能够畅所欲言，那些无人可以倾诉、旁人难以理解的情感情绪，全都因为"我知道你懂的"倾泻而出。老的小的都把自己打点得体仿佛正逢花季，但一开口便有掩不住的沧桑，破碎，残败，伤痕累累。沧桑的人却更懂得自嘲。自嘲是煎熬的水药吞下肚后给一片山楂糖含在舌间。多少年后回想，某些故事的残山剩水像映在夜行列车窗玻璃上的影像，那样以重点提示整体——

一名开朗少年说，期末考时接到通知，他的父亲在狱中过世了。他回家奔丧，提醒自己应该掉几滴眼泪以示尽人子义务，但当他看着那个男人的遗体，试了很久都无法如愿。我尽力了，他说。

一名斯文上班族说，当他因为失爱的痛苦而写下遗书，打算自顶楼跃下，谁知一开风屋木门，却有两条大狗对他暴怒狂吠，顿时他明白了什么。他说，我终于懂得了为什么地狱的大门有两条恶犬守着，它们在告诉我，我还怕痛，我还怕身体受伤害，那才是我内心底对生命最真实的感受。

一名清秀男孩说，曾经他以为性可以换来爱，所以他们要他就给，他们却像卫生纸那样要完了就丢。你要一张用过的卫生纸吗？促狭的笑容里似有一丝凄楚，他自嘲说，我知道你不会要我的……

也许就是人的故事，而不一定关乎性别与性向，说故事的人的脸孔已在时间风沙里磨损至模糊难辨，但声音还记得，故事还记得。

也有些夜晚百无聊赖，眼神与眼神互相闪躲，热与热无法交感。且自得其乐。我想象自己是一名园丁——那时候刚退伍，在军中我负责的就是园丁的工作——照顾这座热带花园——为园子里的花木晚点名：

直插天际与月亮比高、又细又瘦怕风将它拦腰吹折了的是椰子树，散漫无章一头蓬松乱发的是蒲葵，树冠广袤的是茄苳，深刻的树干纹路里埋着一张好老好老的脸孔，每有新进园的同路人，便现身领他走一段路。三月开的是杜鹃，六月开的是阿勃勒，十月轮到白千层，苦楝、羊蹄甲、水皮黄也会开花，你注意过吗？扁樱桃树下有人问我，你还要在这里继续站下去吗？龙柏群树暗影里有影子衔着另一只影子团团转，九重葛棚架底浮华少年打打闹闹嚣声攘攘。莲雾树结的果子叫莲雾，杨桃树结的果子叫杨桃，最后的儿子和最后的儿子结的？不了，不结了。

一路算数过去，雀榕、枫香、苏铁、菩提、尤加利，还有榕树、榕树与榕树……

人们像风像雨来来去去，这些花树全都看在眼里。我想，公园里我们的命运，没有谁比这些花树更了然于心的了。它们与夜连手，给人以隐蔽；没有叶与夜，不会有这么多同路人往这里投奔。

当午夜奔临，传来广播，"各位游客，本园即将关闭，请各位游客提早离园，离去前不要忘记随身携带的物品"，一时人群自各个角落往出口涌流，人行道上摩托车、私家车噗噗启动，也有些人朝常德街走去，继续他们的下半夜。

常德街在同路人口中叫"黑街"，"公司"则是新公园的昵称。

新公园原名台北新公园，一八九九年着手起建，博物馆、露天音乐台、日式池泉庭园造景，以及园区木树皆大备于日治时期，博物馆还曾经是台北最高建筑。作为官方政绩展示场的新公园，周遭陆续建有银行、总督府、司法院等经济、政治、司法最高权力中心，以及医院。国民政府来台后，则在东侧运动场原址砌起一阁四亭，春秋阁立于莲花池正中央。虽称莲花池，但在我初履斯地的上世纪九〇年代，已经一枝莲花也无，污浊池水里又肥又壮的锦鲤浮浮沉沉，我盯着它们慢缓缓地行动，总觉得它们比人们静定许多。

据推测，一九四九年国民政府来台前已有男同志在新公园出入，但迟至一九九七解严十年过去，那个夏天一个凌晨，十余名警察在黑街以莫须有的名义强行将四五十名男同志带回警局盘查、登录。我并不在这群人里头，但常德街事件过后一段时间，夜的新公园人心惶惑，杯弓蛇影，一名前辈出言警告："大家都在同一条船上，你们这些小Gay若还只是自顾自地，以后怎么死的都不知道。"

新世纪，二〇〇三年十一月一日，首届同志游行就是由新公园这座同志堡垒踏出第一步，近两千人走衡阳路抵西门町红楼。队伍里一张花被单，近看是一床百衲被，一针一线缝缝褛褛，各有各的巧趣与心意；远远望去，繁华多元，生命力蓬勃。那个下午，我也在人群之中，阳光艳烈，晒得脸颊红通通，也或许是因为兴奋莫名的缘故，往往夜里才会碰面的同路人相互解嘲：从来没把彼此看得这样清楚。我们不仅要看清楚彼此，也要让人们看清楚"活生生"的同志并不是百鬼夜行，也没有三头六臂，就是他们的朋友，他们的邻居，他们的同事，他们的顾客，他们的，儿子。

这些年现身出柜、走上街头，尽管不畏惧日光与目光，但是夜的温柔夜的包容，仍是我的居心地。下班后在火车站转车，偶尔兴起我会踅到新公园晃悠。才几年，公园样貌已有很大的改变，先是捷运台大医院站沿公园路设了两个出入口，灯火大亮，紧接着拆去围墙，失去了遮蔽性，过去主要流连于纪念碑以北，春秋阁莲花池畔、九重葛棚架周遭、TAIPEI绿雕后方群树的人们，一时都往纪念碑以南，以迄凯达格兰大道这一端徘徊。那里高高立着一尊小小的丘比特，谁来到这里都希望中它一支金箭吧。

找个不显眼的地方坐下，看着眼前人来人往，我既身在其中，又置身度外。有时发现愁苦的面庞，好舍不得，便渴望自己有能力伸一把援手，好像把手伸向过去那个自己的愁苦。然而，人生这条路谁能够代劳呢？痛苦和快乐等值，一桩桩一件件铺陈成人生的道路。

网络时代以降，新公园已不再是结识同路人的主要管道；智能型手机崛起，更是不管走到哪里，手机摊在掌心、桌面，按键、点拨、滑动，忽地屏幕上按距离序列，几十上百个同路人的头像罗列，云端型录一般。新公园在同志圈的地位虽无法被取代，却不能不说已不在鼎盛期。

自从围墙拆去，如果你打算竟夜新公园里踟躇，再也不会有人赶你；但是，但是青春已不站在我这边，我再没有大把的时间可以虚掷了。

——原载二〇一二年六月十一日《自由时报》副刊

诗史再掀一页

余光中 / 文

绿蒂传来钟鼎文先生辞世的消息，并未引起我多大的震骇，因为钟先生毕竟已近百岁，绝无夭逝之憾，何况去年笔会岁末聚餐，他已露出不复敏捷的老态，在我心头留下沧桑的阴影。

少壮甚至中年的一代，当然都没见过钟先生昔日的神采。那是一九五四年初春一个晴朗的下午，他和覃子豪先生连袂访我于厦门街一一三巷的故居。当时纪弦先生的现代派组社不久，作风十分前卫，主张十分西化，从者甚众，令诗坛三老的其余二位相当不安，有意另组诗社，作为谏友以资平衡。听罢他们的来意，我有点受宠若惊。当时我才二十六岁，钟先生已经四十一，覃先生更长他一岁，另组诗社竟要枉驾就商于我，实在出我意外。当下我表示，他们所言我也有同感。不久我们三人和邓禹平在郑州路夏菁的寓所餐聚，蓝星诗社就在那餐桌上诞生。

事隔半个多世纪，厦门街下午那一幕历历犹在吾心。覃先生比较瘦削，衣着也朴素而低调。钟先生则面色白皙，举止从容，谈吐清畅，虽带安徽口音，却气运丹田，有金石之声，还加上鼻音的共鸣。那天他穿着一套白西服，系着一只黑领结，更显得倜傥，像民国上海的文人。后来得知他的生平，果然他毕业于上海中国公学的政经系，不但任教过复旦大学，还做过上海《天下日报》的编辑。

以诗人而言，钟先生出道很早，但产量不能算多。向明所引他的少作《塔下》（按：八月二十三日《联副》《含泪读诗怀钟老》），是他十七岁时所写，淡而有味，简直可追戴望舒。一九四九年来台以后，他的作品间歇刊出，未能多产，或许与他一身而跨政界与报界有关。他曾多年担任《自立晚报》总主笔，先后也做过《联合报》和《中国时报》的主笔。当时口碑极佳的"黑白集"专栏，不少短小精悍之作都出自他笔下，可是他对此非常低调，总不肯自诩哪一篇是他所写。蓝星同人共席，常听他提起王惕吾、叶明勋等报人，显然他和报界的渊源很深。

钟先生晚年的诗，可惜未能发奋淬砺，层楼更攀，而任光阴耗费在次要的"以文会友，以诗结缘"。其实，他来台初期的代表作《人体素描》，语言恬静，隐喻生动，比起五〇年代一般台湾诗来，相当突出，就算置于当前台湾一般的得奖诗作，也绝不落后。他把头发喻为青春的旗语、白色的降幡，又把肚脐喻为殖民时代留下的枯井，一声啼哭，发表了独立宣言。值得注意的是，这首组诗杰作，娓娓道来，反而摆脱了他惯用的铿锵脚韵。

钟先生是诗坛前辈，又是蓝星诗社的发起人，却并不热衷于发表理论或担当编务，相当洒脱，所以和覃先生相处和谐，必要时也会诤言婉劝。倒是六十年代初期，现代诗风起云涌，争论渐多，我年壮气盛，一时介入了不少论战。某次蓝星的聚会上，他劝我不必如此深陷战阵。我不纳忠告，反而发火顶了回去，至于不欢而散。事后，蓝星几乎散伙。也不记得究竟隔了多久，两人再见，怒烬早熄，我也没有道歉，他也若无其事。蓝星年久自散，两人的交往竟转为中华民国笔会的同道。笔会每逢岁末聚餐，钟先生辄与孙如陵、黄天才共来，成为笔会三老。不幸晚霞近黄昏，三老已去其二，孙如陵的冷笑话也成了绝响。

画坛每将张大千、溥心畬、黄君璧称为"渡海三家"。纪弦、钟鼎文、覃子豪亦有诗坛三老之誉，但比起渡海三家来，分量当然尚有不足，不过对于五〇年代的台湾诗来，仍足以鼓动风气，发生相当的影响。一九六一年我在爱荷华大学的毕业论文New Chinese Poetry在香港出版成书，钟鼎文的《人体素描》和《鱼市场》也在入选之列。台北的美国大使馆举行庆祝酒会，除入选的诗人外，胡适与罗家伦还因新诗前辈的身份应邀参加。胡适当场讲了十分钟话，钟鼎文趁机会也上前去认他中国公学的老校长。真是富于文学史意义的一次盛会。

一九五七年，我中译的《梵谷传》由陈纪滢先生主持的重光文艺出版社分上下两册印行。我把先出的上册寄赠了钟先生，他很快就给了我谢函，语多鼓励，还说歌剧才看了上半场，还不是鼓掌的时候，且让他等待下半场吧。现在钟先生一生的歌剧已经落幕，轮到我，和诗坛众多的后辈，来怅然回顾，且鼓掌相送吧。

——原载二〇一二年九月十四日《联合报》副刊

散步在传奇里

果子离 / 文

我住在简单的地方，简单的生活。

真的是简单的所在。近二十年前，刚搬来厦门街，或许尚不习惯，或许心境跟不上环境——搬家之前，住家邻近中华路，购物、交通、看电影什么的都很方便，相对之下，此地是边城，是穷乡僻壤，是心情贬谪的流放地。回想起来，彼时狂放不驯，定不下心，或者说心才要定，所见街道险仄，屋矮破旧，朽木招白蚁，破瓦惹尘埃，不免心里嘀咕。很难想象，多年后同样的我，读到《我的小村如此多情》一书，竟生出有为者亦若是的豪情，想和外人分享我这小小社区的清幽雅趣。

没本领山居野放，只好大隐于市。隐，还得外在条件配合，若是车水马龙，那只有过于喧嚣的孤独。我的住家静，静到，套一句路寒袖的诗：静，从声音中走出来。

我这巷子真静，白天若家里没人，静坐，就会听到自己血液流通的声音，听到毛发延展的声音，眨眼时眼皮撞击的声音，以及灵魂轻轻飘走，又蹑手蹑脚回来寻访的声音。

有时静极思动，或与阳春有约，或微风召唤，必须出走。于是出门，看人，看狗，看树，看商店。我爱走路，爱东张西望，一样风景，不一样的心情，看过去就有千变万化。

　　散步，有人说要放空，什么都不要想。那是修行，我不会。我习惯带着疑难杂症上路，或者说，当心中有惑，便以走路思索。尤其写稿不顺，思路不通，则寄望步行，在踏步的节奏中，在左脚右脚向前进步的象征意涵中，脚踏实地，刺激穴位，然后好像打通任督二脉，有时题目有了，题材定了，有时起头句子自然浮现。（最近领悟到：写稿和生产、便便一样，头出来，后面就容易了。）

　　住家附近适合散步。和平西路、罗斯福路、重庆南路、水源路框起来的区段，每条街道都迷你，汀州、同安、牯岭、厦门、金门、晋江、南昌，都好瘦。最大的一条是巷子，厦门街一一三巷，拓宽之后，巷比路宽，尔雅、洪范与百年雀榕坐镇于焉。

　　走在这个框框里，每一步都踏着传奇，牯岭街旧书市场（以及少年杀人事件现场），余光中旧居，纪州庵，洪范、尔雅、纯文学出版社，是传奇，也是传说，我看，我听，我想象，每一则等待注释的典故，都在我脚下，眼前。更不用说沿着罗斯福路南行了，从师大到台大，书店圈与人文气息浓厚的咖啡店群，金炼般闪闪烁烁，像飞机夜降，机场指示灯串起航道，引我飘浮不定的心性，着陆。

　　是书，以及可以阅读的咖啡店，一股磁力吸引我，如蛾虫趋向有光的所在。如果散步要有方向，几乎不自觉便转往罗斯福路。台大校园与公馆书圈兼商圈，早已取代没落的重庆南路书街，成为我的游玩之地，散步，散心，散钱，心满意足，回家。

早些年，出巷底后鲜少右转，往水源路不是我的漫游路线。虽然有河，却被快速道路阻隔，可怕的路，车速快，风掣雷行，轰轰咻咻，即使跨上天桥，耳膜与细胞还感受到震动。要去河畔骑脚踏车，更得牵车上下阶梯，一顿一顿，单车颠簸弹跳，人晕，车也晕。而纪州庵，荒烟蔓草，破败寥落，传闻中的文学馆，只见楼梯响不见人下来，砍树建停车场的讯息不断耳闻，那几年正逢心情萧索，月光光心慌慌，出门少，河滨就更不去了。

然而近几年，我熟悉的这块地方，地貌变了，比邻平房一片片被铲平，都更为高楼广厦，几座豪宅拔地而起，周杰伦、林志玲住了进来。纪州庵旁也盖了文学新馆，不只是静态的展场、纪念馆，《文讯》接手后不时举办活动，让馆子动起来，馆旁本来的乱篱杂草化为绿毯翠幕。而一路之隔的河滨公园，也不知何时，活血去瘀，整治之后平野辽阔，陆桥铺上斜坡道，利于脚踏车上下。公园车道曲曲折折通往我无法想象的远方，有若填海造地，像运动场，也像游乐园，人犬尽欢。

跨出我家巷口，白蚁虫害的矮旧房舍纷纷改建大楼，抬望眼，好几角天空被遮蔽，月亮挤到偏远的天边。有得有失，谈不上是好或坏。幸好还是住宅区，安静，淳朴，旧家具店仍然毗连，仍然和我一样每天过着差不多的日子。时代向前走，兴衰起落，自有调节，我还是散我的步，读我的书，写我的，平静生活。

——原载二○一二年十二月《文讯》杂志第三二六期

你怎样理解生活

不管你愿意或者不愿意，

每个人都需要找到一个定位。

不论这个位置能给予你怎样的生活，

是财富或者是安定。

但愿所有的人，

都不是因为无路可走才选择现下的生活。

但愿所有的人，

都不是因为无路可退才选择现下的人生。

一根扁担

庄聪吉／文

日前去拜访好友老林，发现他家的祖先牌位前工整地摆着刨刀及量尺。好奇地问他："你也不缺钱，这些工具老旧又占位置，留着干吗？"他才娓娓说出以下的故事。

上个月他为了爬草岭古道，住进宜兰一间民宿。一进客厅就见到神明桌上放着一把类似宝剑的东西，走近一看，才知道是根扁担架在置物架上。扁担本身斑痕累累，显示出年代久远，反观两端置物架却用雅致的台湾玉雕刻而成。古早与现代，粗俗与精致，反差极大，却呈现出一种不可言喻的美感。

请教民宿主人，主人笑说："这不是什么艺术品，但却是我家的传家之宝。这根扁担已经三代祖先挑过，为了追思，也为了让子孙缅怀，我刻意放在这里，每天清晨祭拜祖先之前，都将它擦拭干净。"

"先人留下的东西必然不少，你为何偏选扁担？"老林问主人。

"扁担象征我们必须承担人生不可避免的沉重。你可能不知道，从前的台湾，交通没有今天那么通畅。祖先们为了养家糊口，每天天还没亮就穿上草鞋挑两担宜兰特产或鱼货，翻山越岭到台北。那时没有冰块，得赶时间趁新鲜才能卖得好价钱。所卖得的钱再换成台北的特产或日用品，在太阳西下之前赶回宜兰，一路上几乎不得休息。"

"我走一趟单程就气喘吁吁，汗流浃背，累到不行，先人们还得背负重担，来回走两趟，可真不简单！"老林不可置信地回应。

"祖父曾当面跟我提过，有一次他挑两只活猪，一前一后各放一只，途中前篓那只不幸死了。为了平衡，他只好找等重的大石头取代死猪，继续赶路，丝毫不得松懈。"主人哽咽地道出当时生活的无奈。

"看了那根扁担，想到自己的父亲以前是个木匠，我也依样画葫芦，找到他以前用过的工具，整理之后，恭敬地摆在这儿。每回祭拜时总忆起过世的父亲夜以继日工作的身影。我想留给子孙钱财，可能导致骨肉争产而不和，倒不如将祖先奋斗的工具流传下来，让后代睹物思情，学习祖先坚毅的硬颈精神。"老林感慨地向我解释。

——原载二〇一二年九月二十二日《联合报》家庭副刊

四个音符

吴敏显 / 文

距　离

距离十八世纪有多远？至少两百多年。远到让自己不清楚当年的老祖宗叫什么名字。

距离自己的青涩岁月有多远？都快半个世纪了。远到认不得某些泛黄照片中的自己。

今年开年看一部电影试片，遇到年轻时从歌德小说里初识的一个少年，那个为爱情烦恼写下长长情书的维特。再次陪他去谈恋爱，去悠游了两百多年前欧洲的田野房舍和古老市集。完全不在乎他那可笑的服饰和发套。

平日我喜欢阅读书籍而少看电影。因为书籍贴身，字里行间纵有不足，自己可以差遣想象去填补，但影视作品稍有缺漏，立即显露虚假、造作。难得欣赏到这种如诗如画的情景，让我对电影的偏见做了很大的修正。

也许，只要有适意的心境和视野，人就很容易被哄骗。不管服饰装扮，不管年代或族群，有些距离根本不算距离，任何距离都能够教人轻易跨越。

——原载二〇一二年二月五日《自由时报》副刊

车　站

不管车子上行下行，往东往西，大多有去有回。车起动了，载着你前行的，正是起站；一旦停下来让你下车的，便是终点站。

二十年前到北京旅游，住在火车站附近。某个上午，突然想一个人试着搭地铁，朋友放心地说，北京地铁路线绕着方框框，坐多久也不会跑到上海或西安，挤来挤去总要回到这里，纵使坐过头，兜个圈子还会回来。

人生旅途，能够朝着不同的方向去来，也能够兜着圈子恍若走马灯。无数的车站始终守候着，什么地方是终点站？该停留或是继续前行？全凭自己盘算。

一辈子当中，肯定有过从某个站上车之后，便不曾在这个站下车；同样的，也会有过在某个站下车后，再没从那儿上过车。

既然每个车站都可能是终点站，心底应该少掉许多牵挂。反正，时间到了，都得上车离开，要不就下车走人。

——原载二〇一二年四月八日《自由时报》副刊

笔记本

喜欢读书写作的人，肯定有各式各样的笔记本。

于是书柜抽屉；书桌上下，背包提袋，到处都塞着笔记本。有的写了大半，有的零零落落涂鸦，更不乏整本空白如新地放了好几年。

使用笔记本最大的烦恼是，带在身上时不一定想写，要写它时偏偏没在手边。最惨的是，写了一大堆却被忘记它搁在哪儿，要不然就是所写的字句已经变成连自己都看不懂的天书。

退休这些年，读写时间比较集中，颇适合笔记本发挥功能，但基于前车之鉴，我改用信手拈来的纸张做笔记。不管是商家的广告纸，各种通知或账单，只要有一面空白，往口袋里一揣，即是我思绪驰骋的版图。

无论观赏影集、读书聊天、出门坐车、散步购物，甚至坐马桶办大事，想写什么都能掏出纸笔一挥而就，比任何簿册更为贴身，得空再键入计算机。

最近计算机出问题，到家里来维修的年轻工程师，写笔记的方式显然比我先进。他不用纸、不用按键，临时需要抄录的数据，直接写在左手掌背面。他说，用其他方式容易忘掉，总得四处翻找或打开计算机查寻，麻烦！

——原载二〇一二年五月三十日《自由时报》副刊

收　藏

和大多数人一样，我的收藏癖好，开始只捡拾圆滚的小石子，买各种颜色的橡皮筋和晶亮的玻璃珠，后来把彩色的透明糖果纸、盖过邮戳的邮票夹在簿本里，再后来是偷偷地盯着隔壁班女同学的酒窝。

但那好像各有阶段性的使命，能够被长期持续搜罗的，应当仅剩文字和词句。从乡公所的公告栏，到残破的字纸；从车站候车室的阅报栏，到学校的图书馆。再从书店的柜台，进了计算机网络，始终执迷不悟。遇上对眼的字句到手，即想方设法地揣好掖好，深怕有所闪失。

不曾低估自己的记忆容量，总以为每个人都有无限大的内存盒，只要读过的、想到的、写下来的字句，不管是情爱、忧伤、疼痛、怨恨，统统收纳。从来没想到，这个最大容量的内存竟然有个浑名，叫着"遗忘"。

经常让我不知道应该按下哪个键，或输进去什么样的密码，才能寻获我想要的。

——原载二〇一二年九月二十三日《自由时报》副刊

八十自述

马森 / 文

过去胡适之先生在不惑之年写过《四十自述》，是一本书，不只是一篇文章，主要因为他四十岁的时候已有大成就，或自觉已有大成就，因此可以为自己立传了。我们后学活得比他久，成就却远远不及，有没有资格也写篇自述呢？提起笔来，心中并不踏实，也就是没有胡适之先生那样的自信，虽然走过了比他多一倍崎岖迂回的道路。

胡适之那一代的人适逢满清倾颓、民国建立的大时代，又遇到轰轰烈烈的五四运动，每个知识分子似乎都胸怀大志，大有英雄用武之地，要为国家社稷做一番事业出来，这可说是他们的幸运。我们这一代遭遇的却多半是战乱，先是日本的侵略，后是国共的阋墙，接下来是世界性的冷战加区域性的热战，如韩战、越战等。又遭逢强人的领导，不容你任意出声喘气。我们一生或身临战祸，或屈身噤口，常在战争与高压的死亡威胁之中，身不由己，感觉自己非常渺小，对国家社会似乎都无能为力。很难说是幸或不幸，因为没有用武之地，也可落个轻松自在。

他们那一代可称为叛逆的一代，不但打倒孔家店，而且把中国固有文化都视为封建的糟粕，要求全盘西化。我们这一代也同样叛逆，不过是叛逆的叛逆，不同意中国的固有文化是漆黑一团，当然也不认为有全盘西化的必要。但是我们两代人的追求与希望是一样的，都期待我们有一个民主自由的环境和丰衣足食的生活。说起来我们更加幸运，我们看到了一部分民主自由的环境和丰衣足食的生活的实现，而胡适那一代的人却没有看到。我们之所以能够看到，不只是因为我们比他们年轻，也因为我们在这个世界上待得更长更久。

昔人说"人生七十古来稀"，杜甫四十多岁已经满头白发、齿牙动摇，慈禧太后四十岁后被称作"老佛爷"，皆因生命短促的缘故。胡适那一代的人这句话还可适用，到了我们这一代恐怕已经过时了。如今活到八十岁以上的人多如过江之鲫，我的左邻右舍多的是快要百岁的老人，个个耳聪目明，腰杆挺直，开车的依然开车，除草的依然除草，八十岁的我在他们眼中还显得青嫩呢！多年的老朋友叶嘉莹教授已经八秩晋五，还没有从南开大学退休，每年暑假也必飞回温哥华来开设暑期班（当然不是营利，课程是免费的，教室是商借的），声音依然宏亮，站立开讲两小时面不改色。这叫作教书成瘾，总强过博弈或烟酒成瘾的吧？

我没有教书成瘾，虽然在讲堂上也觉得好自在，按照台湾各大学的规定，届时就身退了。退休后并没有闲下来，要完成的写作计划一大串，总觉得时间不够分配。日子过得像喷射机一样的迅速，每天起床，练完气功、做完运动、晨走半小时，吃过早餐，最多只能工作两小时，就到了吃午饭的时间。吃过午餐，小睡一小时，太阳已经偏西了，赶紧到花园里剪剪枝、除除草，洗个澡，再打开计算机，没打几个字又到了晚餐时间。晚餐后听听新闻，一眨眼就该熄灯就寝了，一天能做的事实在有限。一天天飞过，生命也就自然日渐消蚀，不管保健做得多么好，终有油尽灯熄的一天。

　　我的保健秘诀就是生活规律，每天有适当的运动，不动烟酒，不暴饮暴食，加上练练气功。必须感谢我们的祖先发现了气对生理的功用，又被当代的气功师父发扬光大，才有今天嘉惠众生（包括科学发达的西方人士）的结果。我自幼身体羸弱，初中的时候瘦弱得让老师担心会被一阵风给吹跑了。战时物资缺乏，营养不足，我自己也很担心，这样下去怎熬得到三十岁呢？既然有了这种自觉，就立马想法子补救。记得当时我买到的一本有关保健的书，是成舍我写的《我怎样恢复健康的》。多亏这本书传授我一些保健的常识。我首先说服没有保健知识的母亲在家庭经济情况允许的范围内尽量改善我们的饮食习惯，其次我自己决心选一种每天可做的适当运动。那时，我跑也不行，跳也不行，想来想去只能在水中慢慢游动，既活动了筋骨，又不会太花力气。可是要学会游泳并不那么容易。我在河水中偷偷尝试过多次，都未成功。为什么要偷偷尝试？因为太排骨了，不敢在人前宽衣。后来还是到了台湾之后，天气太热，自然想泡在水里，在淡水的沙仑海滨居然学会了游泳，海水的浮力大，自然而然就会漂浮起来的缘故。从此我爱上游泳，不管到哪里，总想办法每星期游三四次。在成功大学执教的十多年，我一直是成大早泳会的会员，在标准的游泳池里每晨风雨无阻游他一千公尺。到了退休的前后，我曾经四次横渡日月潭。那时的身体跟我幼年的羸弱体质比起来真是判若两人。所以我相信一个人的健康和一个人的命运完全掌握在自己的手里。决心和恒心就是掌握自我的基础。

我的命运一向都是由自己来操纵，虽说对大环境无能为力，对自己的方向总得要自我掌控。前半生的经验使我看到那些原来心怀爱民救国大志的英雄志士，一旦成功掌握了权力，立刻摇身一变成为专横跋扈的暴君，毫不吝啬地屠戮他本该爱护的众生。也有些看来正气凛然的汉子在权力的诱惑下蜕变成贪婪无度的小人。甚至当人们拥有了一星半点的权力，也会因而作威作福，与人为难。权力使人腐化，真是句千古不易的至理名言。纵观人类的发展史，为人群造福的是农夫、工匠以及在科技、经贸、教育、文学、艺术、音乐、宗教等领域的人士，政治人物多成为给人类制造灾祸的根源，不是压榨已经贫瘠的人民膏脂以供其无度地奢侈，就是假借国族之名或什么崇高的理想把无辜的百姓送上杀戮战场，而且都是年轻力健者；近代所谓的革命领袖尤其如此。人如果是由禽兽进化而来，源自兽性的权力欲、财货欲在政客的身上发挥得可谓淋漓尽致。历史的确是一面镜子，看到他人如此，自己能够例外吗？因此，对我而言，权力就形同一种道德的陷阱，一个修身自爱的人怎可盲目陷入其中？远离权力，必须先远离政治，这是我一生所遵守的原则。很早我就决定了自己要做一个与政治无干的平凡人，弃绝权力，便不会有危害他人的任何可能，只把自己本分内的事情做好，行有余力尽量付出，这样也就足够了。我所选择的教育园地还算是一方净土，虽然也免不了有时有些小小的倾轧，但是很容易置身事外，如果自己不想陷入的话。到了八十岁的关卡，回首前尘，仍觉得自己的选择十分正确。

从出生算起，辗转流徙数大洲，先后久居过无数城市，包括世界上繁华的大城济南、北京、台北、巴黎、墨西哥、温哥华、伦敦等，但住得最久的是较小、较安静的台湾府城，也是我一生最怀念的地方，我的小女儿即出生于此。如果我不住在那里，隔一段时间总想办法重温一下府城的旧梦。自我二十八岁离开台湾赴欧游学，先后在欧美和亚洲的众多大学执教，结交了不少谈得来的朋友，教了更多热心上进的学生，有的事业有成，有的失去了联系，但是他们都活在我的心中。我执教最久的算来仍是府城的成功大学，不但从那里退休，而且藕断丝连，退而未休者多年，成为我心中最惦记的学府。今年那里的同事，还有一群散布在台湾众多学府的学生、故旧，群议聚会一天，各自发表一篇学习和研究的报告来祝贺我走过了八十年的岁月。还有台南大学戏剧系的师生也热心拨冗演出拙作来助兴。我心中既为他们牺牲宝贵的时间南北奔波而不安，同时也感到人间的一份温暖。更使我意外的是，在退休十五年后竟当选今年度成功大学的"李国鼎科技与人文讲座教授"，那就是说全成大的同事们还相信我有能力站在讲台上不会语无伦次，而且在科技外也看重了人文的价值。我为此当然感到欣慰，也感谢提名和投票的同事们对我的信任。

其实，活到八十，并未感觉到与七十岁，甚至六十岁时有什么巨大的差异，同样起居生活，同样阅读、写作，只是不再按时上课教书罢了。唯一的不同可能是如今凝视自我内心多于浏览外界的风光，总觉得可见可闻的那些事物都不过是过眼烟云，转瞬就将烟消云散。

侥幸记忆力尚佳，虽然已失去年轻时过目难忘的能力。自觉脑力并未退化，笔下与脚下还一样硬朗。一部花了多年光阴篇幅浩繁的文学史即将完稿，同时也仍然有新作问世和旧作重出。今年最高兴的是出版了两本新书：一本是年初由联经出版公司出版的《中国文化的基层架构》，刚刚出版就被触觉敏锐的上海人民出版社签去了简体字版，此亦足见彼岸也渐能包容殊异的观点。这是我思索多年的一本著作，发挥了我所建构的"老人文化"和"茧式文化"两个观念，前者自认是驱入中国文化核心的必要门径，后者则可视为了解文化变迁的一把可用的钥匙。另一本是巴黎专出版有关中国著作的友丰书店正在付印的《北京的故事》法文版。这并非译本，而是我原始手写的底稿，中文的《北京的故事》反倒是后来重写的版本，却早就抢在前面出版了。为了销路，友丰建议请身兼汉学家和法文畅销作家的Simon Leys写一篇序言。Simon Leys是李克曼（Pierre Ryckmans）的笔名，他是比利时皇家学院的院士，又教出现任澳洲总理的学生，身价不凡，但恰巧是我的旧识，只是像我一样乃退休之身，我们也多年失去了音讯。为此事又重新联系，不巧适逢克曼一只眼睛开刀，耳朵又重听，不能直接听电话，加以拒用计算机，只好靠李夫人在中间传话。他用另一只眼睛读完原稿，写了序文，这是令我十分感激而不安的。出版社却因此大喜，似乎认为有这篇序言就销路无碍了。

所出版的不管是学术著作，还是创作，总觉得好像生儿育女一般，可以传诸后世，其实多半都尘封在出版社的书库里，或图书馆的书架上，如今的年轻人人手一只iPhone，哪里还有时间阅读？我们这样努力地写作，不知为谁辛苦？有鉴于今日电子化的大势所趋，虽说一生努力的成果不能使人乐观，但好在努力的过程更为重要，就如无果之花，体验到盛开时的荣耀也就差堪自慰了。

——原载二〇一二年十月三日《联合报》副刊

变成男人

黄春美 / 文

（一）

第一颗卵子被唤醒，仿佛还在昨天。

十四岁，一个夏天的早晨，我穿着学校白色体育裤，蹲踞长板凳上。突然，一股温热的潮水自体内涌出，低头一探，惊愕万分！

国一上·健康教育课本第十四章的内容正发生在我身上。

我僵在板凳上，像被钉牢的一块木板，不知如何移动双脚。母亲拉着我的手，把我带进浴室。

"你变成一个大女人了。"阿嬷说。她的成长观念里没有青春期，直接从女孩一跃成为女人。

（二）

约五年前，在超市选购卫生棉时，巧遇一名同事，我问她都使用哪种牌子，她说早就用不着了，帮女儿买。步入中年，对时间特别敏感，当时心想，这每个月要用的贴身用品，还可以和我缠绵多久？

三十几年来，身体如同一本荷尔蒙存折，时间按月提取卵子，通过自然律的机制，"好朋友"准时造访，如今，剩余的几颗老卵苟延残喘，奄奄一息，荷尔蒙浓度检测结果，淡如一杯白开水。

"你变成男人了！"阿嬷那一代都会在这种时候这么说。

还没准备好面对人生的另一个里程，不知何时，一只善变的兽已悄悄盘踞体内，它有时温驯如一只绵羊，有时不听使唤如一头横冲直撞、四处狂飙的野牛，寒冷的天气里，飙得你一身汗，飙得你心脏扑通扑通跳，干眼症、血压偏高、腰莫名扭伤、妈妈手、网球肘、五十肩，都在这一场席卷而来的风暴中逐一遂行。

时间执行老化的任务，显得特别尽责。

如此巨变，深深触动我易感的神经。这段时间，我仿佛站在一个视野良好的眺望点，有机会重新看清自己的身体，理解自己的身体。它，其实不是那么好驾驭，更不是我理所当然的熟稔。

中、西医生说法一致，对付人生第二次狂飙期，最好的方法就是每天运动、晒太阳，提升免疫力。之前，一向对运动没劲，讨厌它的单调无聊，如今，我谦冲以对，完全顺服诡谲叛逆的身体。每天清晨五点五十分，我在浪漫的歌曲中苏醒，除非滂沱大雨，我迅速梳洗，换运动服、趿慢跑鞋，带条毛巾，绕着屋前稻田四周约三公里的道路快走。

高大遮天的香枫、水声涤涤的沟渠、青青的秧苗，都一起在晨曦唤起的黎明里，以青春明亮的姿态展开。我边走边做毛巾操，忍痛轮流反拉两只患了五十肩的上臂。这一路，男的女的，快走的，慢走的，慢慢走的，"老"字都在他们的脸上、体态一一注批，一个也不放过。

"早啊！""早啊！"我在招呼寒暄中，似乎觉得一点点暂时借来衬托的青春，也兴起了一丝丝的得意。

每个人都会变老，最终老得齿危发秃，老得脖子松如火鸡颈皮、双臂垮似蝴蝶袖，老的样貌个个大同小异。虽然还没走到那地步，也不见得一定有机会变老，但看着迎面而来几名年朽老耄，特别是背部隆起一座小山，耳聋，拄着拐杖缓步的银发老妪，惶恐早已降临。

生性对美有一种偏执，因此老眷恋过去，拍照时尤甚。过去不论露牙大笑、浅浅一笑、甚至不笑，怎么拍都好看。相较于现在，相机喀嚓一按，不满意笑出鱼尾纹，删除重拍；再次喀嚓，不满意法令纹太深，删除重拍；接着不满意泪沟明显、不满意抬头纹浮现，又喀嚓喀嚓重拍。最后定格的影像中，鱼尾纹、法令纹、泪沟、抬头纹等等，依然徘徊黄脸上，未因表情改变或拍摄角度调整而暂时隐迹。

深怕变成老魔女，早就白雪染青丝；渴望回春，玻尿酸、肉毒杆菌、3D聚左旋乳酸等微整型施打药物，成分、功能、时效倒背如流。但是生来鼠胆，害怕整后皮笑肉不笑、肉饼脸、眼歪鼻斜，只好静待身边爱美人士先行尝试。有时则漫想干脆把购物台艺人白冰冰代言，从猪身上萃取的胎盘素NANAMI买来当水喝，好让皮肤ㄉㄨㄞㄉㄨㄞ，水嫩有弹性。

这年纪，青春美貌渐行渐远，只剩几条怎么看都"慈祥"的皱纹。逛服饰店，多看几眼少女装，店员便问帮女儿买衣服吗？"我一定要穿妈妈装吗？"这种店员最讨厌，必列为拒绝往来户。还有一种店员，不懂"小姐"是所有女人的统称，开口闭口"大姊"，要不就是"阿姨"。

内心感伤迟暮，我沮丧，态度难以从容，更欠优雅，显然失了分寸，走了样，接近病态。有人说，气质好，可以老得美丽高雅。气质仿佛是一帖随身携带，预备用来安慰衰老的良方。但，活到这把年纪，口袋里大致不缺，就是缺了这等奇妙好物。

（三）

学校一群老师在放学后组了瑜伽社团。

有人说练瑜伽可以使身体变年轻，尽管下班后琐事缠身，每个星期二仍拨出一小时听老师指令，以"凌迟"自己的身体为乐。

一天，下班后逛街购物，遇见一位同事，她问起瑜伽课，并谈到自己不太有信心，深怕许多动作无法完成，然后又说，几个同事鼓励她去试试看，并特别强调，他们提到连我也去上课等等。

一番话后，蓦地惆怅起来，何时我已被归类在某个年龄层级，并且是一种榜样示范的借喻。街上喧嚣，一时感到孤绝，只能微笑以对，并且继续话题，鼓励对方："对对对，我这年纪能做到，你绝对没问题。"

原来青春如此峥嵘，如此高大；原来生命不只脆弱，它荒谬亦诙谐，更让我想起了类似的不堪。

"老师，我妈说你可以退休了，怎么还不退？"一个三年级生这样问我，他妈妈也是教师。

"什么时候退休？你不是可以退了吗？"这句话是同事经常

问的。

"流浪教师那么多，应该新陈代谢一下。"女儿是流浪教师的一名亲戚如此说。

"今年退休老师多不多？我媳妇在台南，调不回来……"一名老邻居特地来电询问。

一年前，和同事聊及退休话题，还信誓旦旦说自己年轻，身体健康，喜欢孩子，未曾有职业倦怠感，暂不作退休打算。怎么现在右手擦黑板擦得吃力，作业连着全班改完，便觉得手肘酸疼？喜欢孩子，教学热忱依然饱满，锐气却仿如泄了气的球，消了大半。

时间不只磨损容貌、健康，脑袋运作也隐隐荒唐起来。

有一天，赶上班，在更衣室东翻西翻，寻找一件准备好的内衣，可怎么翻就是找不到。明明几分钟前搁在椅子上，怎不见了？我懊恼自己记性愈来愈差，也着急上班时间一分一秒逼近，但就不甘心从柜子里再拿出一件，而执意要把它找出来。转身，猛一抬头，才发现内衣早穿在镜中那神情慌张的女人身上。

我该赞美那内衣品牌舒适得让人忘了它的存在，或是该忧伤隆起的双峰变形，内衣穿不穿已无差异？抑或我更该关心脑神经学的一些专有名词，比如失智、失常、失调等等。

以前，阿嬷喊我们名字时，得按照顺序，五个孙子的名字由大到小，一个一个，阿……阿……，阿了好久，才把名字阿出来。当年觉得好玩，当趣事看，也学她一起"阿"，帮她一一数名字。待她把孙子的名字正确喊出来时，总一边指着我，一边呵呵大笑说："吃老，你就知喔！"

时光悠悠，阿嬷早在另一个世界逍遥。而我，"一报还一报"，吃老，真的什么都知了！

虽然还不届当时阿嬷耄耋之龄，但几个学生的名字有时得想一下才叫得出来，一时想不出来便"那个……那个……那个谁啊……"然后迅速瞄过刻意贴在讲桌上的姓名条。若被学生察觉窘况，量他们没胆学我"那个……那个……"，也只能洞察我的眼神瞥向何方，乖乖帮我喊出要喊的同学名字。只是，有时不免也被调侃："老师，你怎么常常把他们两个人的名字搞混？"

健忘，一一发生，比如，出门忘了关浴室灯，待下班回家，从地面望向二楼，才发现窗口白亮亮的。外出常常是关了门，想起什么东西没带，又回头开了几次大门，才把要带的东西带齐。米洗好放进电饭锅，菜炒好上桌，热情喊家人用餐，换来一句冷冷的"生米怎么吃？"

（四）

曾经，一包卫生纸、几本书，随便枕着，便得以安然入睡。不知何时，陪伴多年的枕头，竟悄悄叛逆起来，我平躺、左躺、右躺，无论怎么躺，都无法自在。与枕头之间，彼此心生龃龉似的，一会儿颈子酸麻，一会儿肩膀僵硬。逾知天命之年，梦的彼端，路途变得坎坷、遥远，也成了一种奢望。

购物台说的，这颗是符合人体工学止鼾记忆枕；去泰国旅游，导游介绍的，那颗是百分之百天然橡胶蜂巢透气枕；另外一颗，专营饭店用品业的朋友特别推荐，柔软舒适不变形……失眠扩大和渲染了我对入睡的极度需求，于是，不知不觉房间的沙发，堆了我的六颗新枕头。又依民间习俗，丈夫在世，枕头不可单买，所以，连丈夫的一起数算，总共有十二颗。

夜雨，水滴敲在窗外一楼屋顶，忽急忽缓的节奏，规律地行进，单调的拍子，仿佛触动了什么，暗夜中，别有一番滋味。我抓了棉被一角蒙住头，试图赶走滴答声，可声音照样穿透厚厚棉被，直达耳膜。

早就两鬓星星的年纪，合该"一任阶前点滴到天明"，我却彻夜辗转。更甚者，一旁丈夫鼾声，有时如猪食声嘎嘎四起，有时如炊煮锅盖弹跳不停。一辈子都想不到曾经甜美的呼吸气息，于今不但走调，也令人嫌恶、几近抓狂。

"赶快去看医生，这年岁才要享福，万一睡眠中止呼吸，从此醒不来，实在遗憾。"我祭出危言。

"哪有人打鼾看医生，若真能睡死不是比病死更好吗？"他一副云淡风轻。

无奈之余只好自己就医，代替询问关于打鼾一事。

"他会很胖吗？年龄的增长也会使呼吸道肌肉张力减弱，因此比较容易打鼾，或者睡眠呼吸中止。打鼾时，可以轻轻推他一下……"

最后医生给了几颗白色化学小药片，和健保局不用付费的处方："建议你倒过来睡，再不然就分房。"

耳边彻夜鼾声，在在张扬着酣睡者的幸福，幸福得叫人羡慕和嫉妒。依医生指示，轻轻推丈夫肩膀，果然神奇，像转了一圈喇叭旋钮，扰人的鼾声马上停止。然而，不消几秒，它又从音箱里窜逃出来坐大。推一下推一下推一下，推了几次后，我失了耐性，干脆把被子拉到他鼻尖，不知是否潜意识生起邪恶的念头，赫然发觉，床上那庞大的身躯突然变得像虫子般渺小。

确实，他像虫子般蠕动了一下，然后，世界安静下来。

极度疲累的身体，翻转在幽深的夜晚，无边无垠的黑夜身上仿佛寄生着一只难缠专横的小鬼，不停地以各种姿态向我挑衅。

鼾声又起，音域更宽更广，显然那鬼把床上的虫子壮大了。我搬了枕头，调了一百八十度的睡姿。

以为倒过头睡可以逃过鼾鬼，并没有，鼾鬼照样一路追。

"你倒过来睡，再不然就分房。"

"分房！"脑海里瞬间轰然巨响。须臾，我起身，穿上拖鞋，吃力地抱着棉被和枕头下楼。只求楼下沙发怜悯，收留一个狼狈的疯婆子。

到了这年纪，总算明白何以有些夫妻明明恩爱，五六十岁时却突然分房。我除了一一面对身体所有关于老的现象发生，也开始接受夫妻生活中一些必然的调整。

将棉被对折，身子躺下，盖上另一半被子，阖眼。

你以为世界因此宁静了吗？还是没有。宁静让人更容易发现声音。

墙上那口老钟，滴答滴答一路往又浓又稠的深夜走去，步伐愈夜愈卖力。我掀开才暖了的棉被，坐起早已头重脚轻的身体，喘了一口气，起身到餐厅，抓把椅了搬到钟面下，爬上后，踮起脚，小心拆下颇有分量的老钟，然后，步向厨房，放下重物，拉上五百年不曾用过的一扇门。

像处理掉一件巨大垃圾似的轻松，搓搓双手，又钻进被窝。

垃圾桶旁，一只静止不动的蟑螂不停地摆动着触须，它东察西探，像是寻找猎物，又像是对一个失眠者蠢蠢欲语。我并未有举起拖鞋终结它生命的任何意图，对它亦无一丝一毫贪婪脏肮之感。

异于往常之举，无非猛然思及它雷达般的触须虽然躁动不安，却从未哔哔作响，对失眠者是一种至高无上的悲悯。

好了，得以安歇。我谦卑得几乎要跪下，双手作揖，恭迎睡神莅临。

再度阖眼。

但是，另一半起床如厕冲马桶一次；儿子过敏性鼻炎，打了四个喷嚏；屋外东边野狗短吠两声；大脑门户突然开放，一会儿那些人，一会儿这些事，像一群顽童闯进闯出。

如果身体里有一个像胃囊的器官，可以装下以时间为单位的睡眠，我愿意高额刷卡买"眠"吃，吃到饱，饱到撑，即便撑死，也不愿肚子挨饿。

失眠不只是失眠，总伴随着一些不安，担心多一双熊猫眼，唯恐肝脏功能变差，焦虑如何迎接翌日工作，许多不安轮流在脑海里咿呦咿呦叫。最后，常常是竖起白旗，向半颗白色小药片投降。

朋友说，这年纪荷尔蒙失调，身体机制大乱，失眠难免，中午小睡片刻补眠就好了。嗬！她年纪轻，懂什么？"坐着盹龟，躺着困袂去。"吃老，伊就知！

（五）

我问医生，身体种种不适要多久才能消失。

"不一定，每个人体质不一样，跟遗传也有关。"

我又去问母亲。

她说："以前肚子顾饱就好，哪有时间注意那么多，那个啰里啰唆的东西没了多好。管他什么期，变成男人，省了卫生棉的钱，上山下海，要跑要跳多自由。"

"可是会老得快啊！"

"天地公平，谁不会老？你要当妖精喔！"

唉！"妖精"变成男人后也会老。

——原载二〇一二年十一月《明道文艺》杂志第四四〇期

闲居河堤边

杨明 / 文

在金门街住了十几年，回家时每每从罗斯福路转进金门街，有时搭乘捷运，也从同安街穿进去，蜿蜒的小街在罗斯福路与河堤间纵横，狭窄曲折，初时总觉得这只能说是巷子，罗斯福路二段多少巷，哪里算得上是一条街啊，至今穿金门街而过的晋江街，我依然弄不清究竟的位置，以及确切的方向。

但此处街虽小却颇有怀旧情致，只营业到下午四点的鱼丸汤小店，电视美食节目介绍过的干拌面和锅贴，从古亭市场迁来的老店三六九上海包子，还有邻近尔雅出版社午后才能吃到的肉圆、面线羹，走在小街里，那些陈设简单却料理出好味道的小店，久吃不腻的庶民小吃，让城南生活多彩多姿起来。

但人往往对于自己身边的事物习以为常，而忽略了其中的美好。二〇〇八年，在四川讲学，就是料峭春寒的时节，说到了余光中先生的《听听那冷雨》，写的便是台北细雨不断的春天，他说："每天回家，曲折穿过金门街到厦门街迷宫式的长巷短巷，雨里风里，走入霏霏令人更想入非非。想这样子的台北凄凄切切完全是黑白片的味道，想整个中国整部中国的历史无非是一张黑白片子，片头到片尾，一直是这样下着雨的。"浓浓的乡愁一时漫淹开来，霎时金门街的种种浮现眼前，就连路口的7-11一下子也有了不一样的意义。

余光中先生在厦门街住了一段不短的时间，他许多重要的作品都在这里完成。隐地先生的尔雅出版社也在厦门街，每每经过，还有着钦慕文学名家的粉丝心情，不知道谁就要从这里推门出来了。当然，余光中先生居于此时，大概7-11、全家、85℃、顶好超市这些二十四小时连锁店都还没有开起。如今深夜的金门、同安街区在安静中，又多了些丰富生意，从罗斯福路到河堤，面积并不大的这一块城区，新旧并陈，融洽共存，这是台北老城区的生活痕迹，也是其特色。

金门街巷里家居生活宁静悠缓，由金门街更向深处走，穿过河堤快速路，可以在河滨公园散步放风筝骑自行车；朝外走，穿过罗斯福路，则来到充满异国美食的师大路，韩国、泰国、印度尼西亚、印度、德国、希腊、意大利各国料理齐集，台北城南的生活小巧多元精致，而且巷弄里也饱含文化气息。

如今，同安街底的纪州庵更是成为台北市重要的文学聚会地，不拘形式主题年纪，文学人安静地飞扬地在小街出没。有时去买肉圆，会见到丹扉女士与人喝咖啡，管管潇洒地迈开大步，爱亚姐优雅地行过树下……城南生活的缤纷含蓄而内敛，丰富却不张狂，让人可以亲近，不是五光十色的繁华喧闹，但是意蕴悠长。

——原载二〇一二年十二月《文讯》杂志第二二六期

生活练习

林孟洁 / 文

Dear you：

很多事情想告诉你，可是不知道为什么，每每一开始书写就辞穷。或许觉得不说你也会懂，或许是因为不相信语言和文字能够真正精确地承载意义，或许我仍然不是很确定我究竟有没有资格要求你作为我的唯一读者，即使你可能并不是一个读诗的人。

但那又何妨呢。

这阵子我常常想起许多关于生活的细节，经过和离开的人，已经斑驳了的记忆场景，那么真实却又那么虚幻，或许它们已经趁着我不注意的时候，剥落了，失去了，成为无法挽回、似乎不曾存在的过往。然而它们曾经那么真实确切地存在过，但我已无法向众人辩称那些记忆的有效性，因为甚至连我自己，都已经，遗忘了啊。

毕竟那遥远的记忆已经褪色，在一个人独处，天色黯淡的清晨或傍晚，如何不期然就想起了些许片段的那一刻，以为自己已然遗忘，已经能不去想起，能够抵抗那些啮咬旧伤痕的记忆，却在一个生活片刻里心惊的时分，像诗人写过的：那样敏感的记忆，在记忆里起了遥远的记忆，然后遗忘，这一切都似乎存在过，也似乎不存在……

亲爱的我想留住一切，抵抗遗忘，那种迟钝无感渐渐袭入，我害怕那些不被记得的便就此不存在，就此成为不被承认的真空，消散，逝去，不复。你知道我并不是一个容易妥协的人，我必须用某种方式挖掘记忆，留住生活本身。

我喜欢和你说话，叨叨絮絮，我喜欢那种感觉：我知道，我说着，你听着。

就像罗兰·巴特所形容的："无数片段的话语，一有风吹草动就纷至沓来。"

我决定写下生活里最深刻的一些姿态，词条，经验，话语，细细在你耳边叨念一如巴特的絮语，把自己展成一个开放的文本，亲爱的，我把自己打开，等待你进来，反馈、互文……用相近的频率，一起呼吸，展开我们共同的，生活练习。

（一）观看

记得上个秋天来的时候，秋意渐次蔓延，从路树到街灯，都染上一种微醺的秋色，人居住在城市中行走，总是一个人，走过相同或不同的道路，踩踏枫叶与烟尸，在人群里很容易就越走越快，每个人都神色匆忙，仿佛必须即刻赶去某种远方的必然。居住在里头，常常会遗忘自己究竟要去哪里，和你约了的午后，等待得百无聊赖，我于是把别人都看得仔细。眉头深锁直瞧手机的人在等待，对看而不多话的两人在暧昧，话怎么说也不腻的情侣在热恋。

青春在校园里恣意蔓延，每日从宿舍出门擦肩而过的，总是许多美丽女孩，穿着颜色鲜艳、剪裁独特、精心搭配的衣着（唯独年轻女孩才能那样穿搭），娇嗲地回复电话另一头，那些总是紧跟女孩身边，也不多话默默提起女孩包包的男孩们。在捷运上并肩的是穿着套装或西装的年轻上班族，认真地打瞌睡或读简报，准备自己的未来和努力地赚取生活。经过公园旁的豆浆店，还不用那么早上班的母亲将滚烫的豆浆在两个碗里重复倾倒，等凉了给年幼的孩子喝。父亲则一面读报一面和妻子有一搭没一搭地聊着。公园里，老先生老太太搀扶着彼此，慢慢地走。

总是看不腻生活里的各种姿态，有时候在街头，有时候在快餐店或咖啡屋落地窗前，人的行走和交谈就这样映入眼帘、窜入耳窝，整个城市构成了一部巨型自传，每个人短暂的个人生命史就这样或深或浅地交换，在城市里，在下一个转角处。我着迷于这样的观看，纵然我和这些被观看者几乎无关，纵然现代化城市的意义总是被以疏离归纳，纵然我的观看实则不具备任何意义。但我仍然着迷。

（二）拥抱

　　曾经你问过我，如果必然失去一种感受的能力，我最不愿意失去的，是什么？

　　拥抱，我说。不同许多人总是害怕失去视觉或听觉，我本能性地想到拥抱。你不解地笑了笑，没说什么。拥抱总指向两人一种全新的关系——倚靠与束缚，从此以后，我们相互需要，也相互牵制。我想你都记得，而我从没忘记。

　　我想感觉温度，感觉柔软的被碰触，被珍视，被在乎。伴随着气味，像小时候被众人拥在怀里的那种触觉记忆，母亲说，你那时还那样小，怎么可能记得？但我记得，我都记得。触觉穿过了重重时间序列遗忘所设下的阻挠，深刻地留下了触碰的体温和气味，我认得母亲年轻时惯用的香皂和香水。她讶异极了，说，小时候抱着早产的我，小小的身躯，总喜欢贴着她的锁骨肩膀，把脸深深地埋进去。我记得那接近痱子粉和鸡蛋花的香味，那时母亲还年轻，还没有白头发。

　　我只知道我会长大，但从没想过，她也会老。

　　拥抱是一种亲昵和亲密，从亲人到恋人，我想你懂得的。在那些几乎要起风的沉默时刻，彼此对峙着，话都说完了，长长的路也走到尽头了，越过之后，那里，会有什么？屏息。感觉一阵轻微的麻痹感从指尖递过来，而后是一股暖意袭人，于是从此之后，一个人的温度变成两个人的，关于拥抱，也有了新的定义。

（三）眼泪

我想你可能不知道，小时候的我很爱哭。就像《艾丽斯梦游仙境》里，缩小后的她放声哭泣，然后被自己的眼泪冲走。那样的嚎啕大哭。有时候并不是真正想哭，只是我一直都是个很贪心的小孩子，我要争取大人的注意，让他们疼我抱我哄我入睡。眼泪其实不是示弱而是武器，在我还可以任性的时候，在还有人愿意无条件容忍我的任性的时候。生命始于哭泣也终于哭泣，我们都会哭泣，但从不真正理解哭泣与眼泪。

长大后的我几乎不哭。我害怕承受别人的眼泪，看见人哭，往往弄得自己也几乎要陪着哭了。哭泣的成年人要的不是同情，而是陪伴，慢慢长大后，我知道我不可以轻易地哭，因为我已经是大人了，不可以哭。纵然哭了也无法像孩子那样嚎啕大哭，只能一个人安静地，隐匿地，缓慢地啜泣。不被理解也不能被看见，收拾好自己的情绪，等眼泪干。

上次从家里离开往北的路上，我安静地坐在靠窗的位置，怕吵到了人，只能节制地，小声地掉眼泪。连自己都不知道为什么。看着夜色和镜中映照的自己忽然觉得好陌生。连哭都不能痛快。或许是在那个不期然的下午撞见母亲偷偷地哭了，我知道她在想念我也很想念的那个人。而我们几乎都已经要遗忘了。后来她窝在沙发上，睡着了。她的身体蜷曲如猫，时而发出细微的呼噜声。阳光透过落地窗和煦地包覆着她，这冬天午后其实还是有点寒意的，拿了条毯子替她裹上，却发现，她比我想象的还要小好多。和从前两样的，我记得她曾经是那么强悍，在过往的那些艰难时分，她绝不显得软弱或退让。但此时她却和这栋老房子一样疲惫，皱纹慢慢爬上她的侧脸，我以为她不会老的，可是她却老了。

到后来才明白，原来很多路只能一个人走，于是最后只剩下眼泪，苦苦的。

有一点涩，无盐，而不反光。

（四）迁徙

在一路向北的旅程中我一直在思考着，关于迁徙。像候鸟鲑鱼？你问。

再残忍一点。或许回头再看都已是，无家之人。

外婆生日的时候，她的女儿们都回来了。带着她们的孩子回到自己长大的地方，给她做大寿。小表弟表妹围绕着她，争相握着她的手一起切蛋糕，吹蜡烛，她笑得合不拢嘴，我从来没见过外婆那么开心。

我从来没见过外公。只能从舅舅们的样貌揣想他从前的硬朗姿态，北部口音，被海风和太阳日日吹晒的黝黑皮肤，坚毅得一如海明威笔下不畏搏斗的老人，只是后来，仍被他奋斗一生的大海给带走了。只剩下外婆。

我只在神桌旁挂着家族合照的相片里见过他。我在想，或许每个人家里都有一种记忆着时光的方式，在一张张泛黄斑驳的老照片里，我几乎看见了那一整代人的迁徙，爷爷奶奶那边也是。那时岛屿和彼岸正混乱，离开和留下的人，都一样辛苦。他们背负着一整个家族，不断迷航，迁徙，寻求安定的生活。但这路走得异常艰难。就像这岛屿的地震台风，总是残忍。

后来外婆的女儿们拥有了各自的身世，大阿姨放弃学业出去工作养家，二阿姨早早嫁了人，小阿姨小的时候送给了好人家养大，跟了人家的姓，但和外婆却还是一样亲。我的母亲在颠沛流离了人生前半段之后，终于遇见父亲，接着是我。再也不必过着四处迁徙租屋的生活，终于有一把属于自己的钥匙，直通往家门口。

我知道总有一天我也会离开家，然后真正地长大。我会一直不断地迁徙和寻找，世界的尽头，那里到底存在着什么。就像外公一样，在湛蓝广阔的大海里航行，寻找自己可以短暂停驻的地点，却终究必须继续漂泊。或许真正的生活从来就只存在他方，而迁徙，让每一个这里，都成为了不可久驻的他方。

可是外婆，我很害怕，会不会，其实世界的尽头，那里，什么都没有？

（五）行走

想到走过的许多街景。你知道，记忆的源头总是那么鲜明，小时候长大的原乡，每一个街角和沿途风景，总是那么熟悉。那时陪我走的是父亲，他喜欢散步。据母亲说，从前他烟抽得凶，怎么劝也不听，母亲只好退让，于是父亲养成傍晚时分，晚餐前出门散步的习惯——好在通风处而非家里抽烟。但奇怪的是，在印象中，我几乎很少看见父亲抽烟，但他却保留了散步的习惯。小时候总带着我出门，紧牵着我的小手，慢慢地走。父亲很高，我喜欢央求他把我背到肩膀上去，可以看到很辽阔的风景，和仿佛伸手就能够触及天空。

父亲并不是一个多话的人，我还太小，来不及理解太多大人的世界，和他一起走着，我知道，很长一段日子他并不快乐。但他偶尔俯身和我说话时，我发现，高大的父亲举措间还是一样地温柔细腻。很多年后我想起他跟我说话时的神情，才惊觉，原来我们是那么的相像。再也不会有人为我戒烟，陪我走过长长的路了。

后来我总是在等待和父亲相像的身影，能够陪我，走上一段路。于是后来，当我渐渐长大，在路上，断断续续，遇见了愿意陪我一段的人。一开始我总是担心对话陷入沉默，后来才发现，原来我们的沉默并非因为找不到适合的话题，而是沉默本身就具备了某种意义。

起风的时候特别适合沉默。我开始比过去喜欢行走，因为并肩走路可以看到更多的风景。细微的，安静的，一些原本容易忽略的细节。一起行走过的沿途风景，匆匆掠过的人事物，我都记得。要是走慢了我也不慌，因为我知道，会有人等我，前头不会再有让我心慌的陌生风景，因为多了可以倚靠的高大身影。没有原因没有目的就只是走。不说话，只作伴。第一次发现原来在一个我以为已经很熟悉的地方，原来还有那么多新鲜的风景。我好喜欢这种感觉。我想你一定懂得的吧。

（六）欲爱

你总是笑我执著于相信几千年前柏拉图的说法：在宇宙之初，有纯阳性的人，有纯阴性的人，有阴阳合一的人，因为得罪了天神，他（她）都被劈成两半。从此以后，每一半都在寻找另外一半，阳性寻找阳性，阴性寻找阴性，阴性寻找阳性，或阳性寻找阴性——我从不和人辩证相恋的正当性，情欲的流动性，一如在某些岛屿盛夏水气流动，蒸腾时分的燥热：被放逐的孽子盘踞公园，忧伤小调的孤恋花，如日日口腹欲望食色性也的填充，只要是身为人的，总感觉饿，总感觉欲望如潮水满涨，像周而复始的潮汐，我们进食，拥抱，呕吐，分离。

你说这是个悲伤的故事。

他（她）们总是在寻找，每一次都好像找到了，紧紧拥抱着，不肯放手，希望永远合而为一，恢复完整。然而，不过多久，发现错了，不对，不是最初的那一半。无论如何寻找，找到的，永远都不会再是原来的那一半。于是欲爱（Eros）带来了爱欲（erotic desire），我们寻觅，试探，确认，需索，像启动丛林深处最原始的动物本能，学会等待、占有和嫉妒，既狂妄，又胆怯。

人注定不完整，欲爱是一种必然的甜蜜，或诅咒。

在我们之间流动的，若有似无，其实已经不太能确定，在那些行走过的街景、浮光掠影、话语或耳语里，感觉已经过了许久，却又仿佛刹那间，漫长的漂泊终于找到靠岸。究竟我们是否完成自己的寻找了吗？

而我们究竟是否，谈论到话题的核心呢？

键入收件人，我仔细斟酌字句口吻，在准备发送出去的前一刻，那人来讯。手心里握着的机身，宛如心跳。

（七）告别

有些清晨如此阴郁。

站在巨大的火炉洞口，冰冷的脸一下子就被烈火散发出来的温热烘暖了。点了火却怎么也无法燃起，你说我太急，一股脑就把整叠丢入，难怪烧不起来，火苗好像都被盖住了。顷刻，一条条的火舌蹿起，毫无预警地，瞬间吞噬掉刚刚被掷入的一切，令人措手不及。让我想起，在许多年前，丧礼繁琐的细节，伏拜、起身，伏拜、起身。我裹在麻衣里跟着行列行礼、跪拜、守夜，扶棺木下土。

然后就算是，永远的告别了。

很长一阵子我再也无法记得所有关于告别场景的细节，生命中几乎无法再拥有回忆。再也没有，"我记得……"那种令人心颤的光晕。所有的记忆都是潮湿的。夜里雨不间断地下，雨季的空气里承载了过重的湿气，一寸一寸地依附在我身上，挥之不去。异常轻盈也异常沉重。

或许我们都还不想说再见。

Dear，我写下了一些琐碎的、片段的、关于生活和记忆的絮语，企图在生存之上，找到真实活着的姿态，在记忆崩解的时刻，也是重新建构的时刻。对抗遗忘的撕裂，超越时间的永恒片刻。关于观看、拥抱、眼泪、迁徙、行走、欲爱和告别。这一切无非是想向你展开，关于我，如果还被记得，就不会遗忘。是你，我唯一的当事人，如果能落笔为文，我们就曾经那样地活过。一次次地展开每日的生活练习，练习生活。

——原载二〇一二年七月《明道文艺》杂志

我的小物业

黄丽群 / 文

　　清理杂物这事情像夏日午后的云图、山棱上的瞬雾或脑里眩晕一样不可预测，这里所谓清理不是日常整洁随手拾掇什么的，而是一时想把世界烧了，可是仍知道不宜纵火，你只好丢。

　　抽屉与衣柜，书架与储藏室，皮夹与首饰盒，定睛一看，都是万般将不去，唯有业随身。永远有这么多用了一半各种颜色的指甲油，灿烂到中途就枯干；放太久的维他命或保养品，承诺抵达前就无效；一些来自商家的满额碎杂小赠品，丑样马克杯，恶俗名片夹，品位很差的钥匙圈，看着只觉昏头昏脑，几乎自觉不屑——这种东西，一开始干吗带回家？几匣无用名片，各种过期发票折价券，是整个时代的糜费，半场人生的徒劳。东洋传来整理术术语"断舍离"，口吻中带宗教性，宛如甘露倾倒，熄灭火宅，性命从此清凉……又有词汇为"物业"，说的是房产，但我每觉得像警语——物即是业。

　　物即是业。宝爱是业，弃之不顾也是业；留是执著，去也是执著。丢弃才不是割舍，丢弃是一剂微量兴奋药，就一点点，金属针尖刺破手指，轻巧一痛并快乐着，即使只是随手扔掉几支断了墨水的原子笔，都让人有支配的错觉，做了选择的错觉，生活拾级而上的错觉。因此世上有喜欢囤积的人，当然也有喜欢丢弃的人，例如我，每每整完杂物，常常就要跟着清书，无预警地把各房间各书架上的书本扫了满地，这本要，那本不要，一边一国不犹豫。他来我家，看见了，吓一跳。毕竟再怎么说，每本书里都动员着各样的思虑，因此弃书便总有一种残酷意味，像一下子翻脸，说否决就否决了这么多人心。

第二天，他来接我午饭，一进门，更惊讶地发现前夜拆了一屋子的书，又纷纷像新生儿睡摇篮一样安稳在架，一场骚乱无痕，只剩门边三堆半人高的旧书要请人收走。它们没什么好或不好，我只是不要了。"一个早上，你就自己把这么多书整理好了吗……"语尾的省略号不知是庆幸还是若有所失。"当然啊，而且也没有很多啦！"我说。

很长一段时间以来，两人几乎没有什么事件或场合不是在一起，我甚至顽劣地把一些小型家务都推给他了……可是理书这事，再体己的人都忽然显得远而稀薄。我们晓得对方吃荷包蛋要全熟半熟，随口抛接彼此下一句话，闭着眼睛为那人挑出一件合意衣裳，但没人能知道书架上我想把谁和谁归在一起，没人能知道我为什么把这册与那册放在同一排……寂寞的星球，寂寞的秩序，彻彻底底这是各人造业各人担。

吃饭时，他忽然又问："对了，你是不是也把脸书账号关了？""对啊！""为什么？"我想一想，发现原来很难向不用脸书的人解释那上面弥漫了多少贪嗔痴，多少不清醒，多少心毒与多少执念，只好随便回答："反正，脸书也有个书字嘛，就一起清掉了。""最好是喔，我来算算你可以关多久……"

小小的物，小小的业，琐碎中缠绕，一边解一边结，来来回回，过日子的有意思或没意思，都在这里面了。

——原载二〇一二年八月一日《中国时报》人间副刊

走过的才是人生

我们歌哭无端，

我们喜怒无常，

我们日夜无明，

无非无非，

是想在生命的幽微之际找到一丝明觉，

他乡客旅是对自由灵魂的追求及向往。

沧海，蓝田

徐祁莲 / 文

　　不知为什么，也非受大人的强迫，从小就喜欢将唐诗里简易的五言绝句背诵起来。初中时，家从屏东搬回台北后有一年住在一栋租来的洋房里。所谓洋房就是独家独院，非中式也非日式的平房，不是如今的楼房豪宅。那时台北市的近郊开始建这类的住宅，向着逐渐消失的农田延伸，如一只变形虫包围它的食物。我家住的那栋房子在变形虫的一只假足的足尖，墙外就是稻田。稻田边有一小块旱田，种了些玉米，我常在清晨到玉米田里背诵国文课老师规定要背诵的文章。对政治性的或抒情的白话文没兴趣，偏爱古人的文言文，听自己的声音念着古典的、遥远的、难解的文句觉得很享受。远处做田的农夫从不赶我，还招手示意，只有偶然出没的青蛇令人心惊。听大人说秘鲁大使馆就在附近，但我一直没弄清它在哪儿，对这个国家的地理位置也不清楚，只对"秘鲁"二字发出的声音有兴趣，觉得这两个不相关的字连在一起很神秘，像一个另有所指的隐喻，像我背诵的诗句。

　　直到如今我还是读诗而不是看诗，连并不能驾驭的一些古今欧洲语文的诗，我也对照着英文字意尽量用原文朗读，希望得到更多的享受。至于从前背诵的那些诗、词、赋，多已不知去向，只有少数几首难以忘却，仍然萦绕于脑海心际。其中一首是李商隐的《锦瑟》。人们多认为这首诗晦涩，我却觉得它像水晶一样清澈。我爱读诗，但不研究诗，对历代学者累积的说法看一看，了解一下诗人写诗的时代、诗人当时的际遇以及典故的应用。其余就是读诗人自己的事了，看你如何与诗人神交，又如何丰富、延伸一首诗在常变的自然与人文世界里的生命。纯化至极才能结晶，已成水晶的诗句"沧海月明珠有泪，蓝田日暖玉生烟"如何能更加清澈？

　　蓝田这个地名很美，又出美玉，再加上义山的诗句，使我对蓝田之乡充满了浪漫的想象。就像小时对秘鲁的态度一样，蓝田的地理位置对我不重要，只迷恋于它带给我的幻想。直到有一天看到蓝田猿人的资料，才知道蓝田在陕西。黄土和美玉如何相连？猿人又怎会住在我幻想中的蓝田之乡？

　　原来蓝田玉的确产于西安附近的蓝田，据说那块以不惜牺牲主人的姿态出现，又扑朔迷离失踪的"和氏璧"就是蓝田之美玉。大概后来由于可采的玉都采尽了，等宋应星写《天工开物》时就认为蓝田玉其实是昆仑山产的玉。如今的蓝田又发现了新玉石矿，机械开采，大量生产，不知多久以后，新蓝田玉又将成为只能在诗中找到的意象。我喜欢新"蓝田种玉"的故事，它具有环保的观念，用神话的方式贴切地写照贪婪的人们如何将天赐的蓝田美玉挖掘一空，最后只剩下深藏在南山里的玉石在晴朗的天气里飘着轻烟。我多么希望如今藏于山里的美玉不要变成暴发户家中的庸俗摆设，而能在绿树覆盖之下生出烟霭。

蓝田猿人当然有资格住在蓝田之乡，远在八十万年前，在我们这种属于"现代人"的"智人"（Homo sapiens）还不存在时，他们就已经是蓝田的居民。虽然不是用蓝田玉，但是他们已能打造各色各样的石器。蓝田猿人属于"直立人"（Homo erectus），他们的祖先在一百八十万年前源于非洲，在亚洲广泛迁徙繁衍直到二十万年前绝种，是"人"属里在地球上生存最长久的。他们为何绝种仍然是个谜。据说，他们在"现代人"在非洲演化成功，遍布全球至今以前就已绝种，但是他们真的没有更进一步演化，然后与非洲来的现代人混种？希望不久就会有足够的中国人的基因组测序（genome sequence）来帮助揭示这个谜，这个远比人文历史久远的，人类如何穿梭在自然史里的谜。

　　虽然曾居蓝田之乡的蓝田猿人和我的血源关系仍然是一个谜，另外一个蓝田却在我亲人的故乡附近，那是安徽休宁县的蓝田。我的外祖母由休宁县嫁到歙县，随夫居住在徽州县城里，外祖去世后，外祖母就一直和我的父母住在一起，一同来到台湾。我是她最疼爱的孙辈，从一出生就无微不至地照顾我，每天晚上，一定要她讲了故事后才肯入睡。常年累月地，哪有那么多故事讲？后来都是由我从听过的故事里挑选要听什么，像点戏目那样。其中一个并非故事，而是她对小时休宁老家的回忆，令我至今难忘。她说那老家有近百的房间，很多都是封起来不用的，有次她的叔叔带着她在一间封起来的房间外向内张望，里面堆满了老旧家具。叔叔说："这些家具都几百年了，你看那些椅子有多高！因为古人个子高大。你看得见不？椅背的下方有个洞，是放尾巴的，因为人是猴子变的，所以古人还有尾巴。"因此我小时候就一直以为古人是有尾巴的，只是不知多古的人才有尾巴。现在回想这个故事，很明显，那位叔叔是个有新思想的青年，读了严复翻译的《天演论》（我想那时马君武翻译的《物种原始》尚未出版），有洞的椅子等则是哄着孩子玩的。

我有机会时，常把上面的故事讲给同事和学生听。说人是猴子变的并非正确的说法，但那位叔叔很清楚地有了生物演化的观念，而且欣然接受了自己与猴子的亲属关系。一百年过去了，生物学家们也已早已庆祝过了达尔文的两百周年冥诞，更不用说百年以来各种科学证据对演化论的支持。可是在当今全球最富有、科学最先进的美国，居然有百分之四十四的成年人认为现代人是上帝在距今一万年之内一次造成功的。唉，夫复何言！

这种将人与自然疏离的世界观当然不会同意青翠的修竹、戏水的游鱼、斑斓的老虎都是演化于单细胞的原始生物。他们也不会相信六亿年前，沧海桑田，那时休宁的蓝田被浅浅的海水覆盖，在阳光之下，原始的藻类、像蠕虫形状等等的多细胞真核生物已演化成形。虽然它们像"蓝田猿人"一样已经绝种，但是它们完美无缺的化石给生物演化写下无言的史证。就像庞贝城里被火山的烟硝雾时塑定的居民，使人无法置疑庞贝城被维苏威火山的灰烬封埋的事实。

在自然的时间里，千年仿佛是昨日；在人文的时间里，千古长存便是不朽。"沧海，蓝田"的诗句在常变的人世里如今依然清澈如水晶。辛词说得好："我见青山多妩媚，料青山见我应如是。"义山是我心仪的诗人，料想我也是他欣赏的读者。

——原载二〇一二年一月一日《联合报》副刊

色不迷人人自迷

王道还／文

人类曾经有过一个黄金时代，似乎是普遍的信念。对那个黄金时代的想象，则不外"上古之时，人民淳朴，心行正直，禀性柔和，不相嫉妒"云云。这一想象不能说没有根据，但绝不是事实，因为生命世界充斥诈伪，人这身浊骨凡胎，全是在那个世界演化出来的，怎么可能超凡入圣？

在动物界，冲突、求偶的场合最容易观察到诈伪技俩。哺乳类在冲突之际，全身毛发皆张，看来身躯暴涨，无异膨风、灌水。肉食动物最忌受伤，双方越是势均力敌，越不能硬干，虚张声势是主要的斗争手段。即使是"低等"动物，都会玩同样的游戏，如虾蛄。

虾蛄生活在海岸附近，肉食，第二胸肢特大，是攻击武器，挥舞起来颇有螳螂的架式，英文俗名就叫螳螂虾。虾蛄每两个月蜕壳一次，那时极为脆弱。不过它们在蜕壳之前特别凶恶，动不动就发动攻击；蜕壳期间，要是有天敌接近，也会摆出攻击姿态，仗着最近赢得的声名吓阻敌人。

总之，在动物兵法中，"不战而屈人之兵"是无上心法；在实战中，以自信撑起的恫吓退敌，是常态。

不过，天下事相生相克，诈伪必然导致反诈伪。如此因果相循，诈伪与反诈伪伎俩不断向上提升。于是，每一个动物都是天生的骗子，也是天生的侦测诈伪高手。

特别是人，仗着各种理所当然的借口，经常就说谎，敌人、爱人、老板，无一幸免。我们凭经验也知道如何判断旁人说谎——说谎的人紧张、做作；圆谎更难。因此，我们被迫发展更为高明的伎俩——自欺。

最近美国演化生物学者崔弗斯（Robert Trivers）出版了一本以自欺为核心的书，将自欺变成一个科学题材，而不只是人文学者、心理学家感兴趣的人性枷锁。根据崔弗斯的论述，自欺是欺人的绝招；不出自有意识的努力，而是无意识的心理机制；功能有三：一、有意识地欺骗人，难免泄漏意图，自欺就不会。二、既然自己都上当了，当然挥洒自如、行云流水、毫不做作。三、万一被拆穿，也容易卸责，谁会责备受骗的人呢？

自欺的生物根源极为古老，并非人类独有的天赋，从自信到过度自信到自欺，并无明显分际。只是人能说话，不但方便卖空买空，更容易陷入自欺的漩涡，甚至将旁观者卷入，掀起风潮。自欺在人类历史中的角色，耐人寻味；一些文学作品不经意地透露的一些观察，发人深省。

如《虬髯客传》这篇千古名文，刻划的就是自欺。话说虬髯客有意逐鹿中原，而传说"太原有异人"，结果打探到李世民。他想眼见为信，等见了李世民后再盘算进退，哪里知道却"一见心死", 自叹不如。可是虬髯客心存侥幸, 请师兄出马打量李世民; 没想到师兄也"一见惨然", 还说了重话——此局全输矣!——他才面对现实。万一师兄助长了他的自欺呢?

难怪孔老夫子要把"友直"列为益者三友之首了。

——原载二〇一二年一月二十九日《联合报》

百花深处

房慧真 / 文

且不说《家变》小说中的场景"纪州庵"，就在离家走路五分钟可达的咫尺之近。

且说说时常在温罗汀一带书店遇到的王文兴，灰白头发枯瘦身形，长袖衬衫松松挽起，好信手翻书。后背双肩包，背包塌、垮，内容若无物。不像我，几间书店逛下来已驼了一袋书粮，他气定神闲地摸摸书皮，这翻翻，那瞧瞧，看不过瘾明日再来，经眼而不必拥有，如此才可以继续轻装上路。我注意到，他西装裤底下是一双好走路的多功能气垫鞋，能多逛几家书店而不腿软。也曾在十字路口等红绿灯时，没有心理准备，一转身忽然又照见他，想起十几岁看《家变》时的心情起伏。这么多年过去了，书已纸页脆黄不堪翻折，然而书写者筋骨犹健，逛着同样的书店，散步同样的巷弄街道，浏览同样的橱窗风景，活生生地浮出纸面。

活的文学风景还时常可见，说起来像是炫耀，但次数一多，也不大惊小怪了。人总难免贵远贱近，近庙欺神，偶尔散步去了纪州庵，也就当是个乘凉歇腿的好所在，没有一点朝圣的心情。

住在城南近三十年，未曾远离，远一点仅大学时候住过淡水，捷运通车后又搬回来通勤。岁月悠悠，身在其中反而不觉变化，离开大马路钻进晋江街、南昌街附近巷弄，仍时见闽南低矮砖房建筑，因空间狭小窄仄，故而门户洞开，好通风透气。屋内八仙桌碗橱柜电视机椅凳挨挤在一块便无隙地，屋外搭了丝瓜棚摆了长板凳，晴天里晒菜脯干，阴天里风干腊肉。到了端午节，晒菜脯干的那一家便在屋外煮水热锅炉，包客家粽外卖。矮房子里的营生还有收惊的，开杂货店的，卖自助餐的，修改衣服的，当然也有几间空屋彻底倾颓杂草丛生，便常有母猫于此产子栖留。此地既然门户洞开，也任野猫自来自去，剩饭搅了肉燥鱼汤便是猫饭，檐下也总不忘搁放一碗清水。

矮房子间鸡犬相闻，互通声气，且有好生之德，在城市精华地段，挨着高楼大厦边沿，隐隐然存留着旧时乡村的起居空间。有次误闯一群矮房子后头，别有洞天，庭中居然藏着一棵大树，从外围完全看不出来。先是有了树，外边砖房才密密围起，断不会为了盖房而砍树，巷中有巷，楼外有楼，天外有天。同安街的前半段，矮房子多，穷苦人多，但不断旁支出去的蛛巢小径，也有种曲径通幽、柳暗花明的味道。

同安街往河堤边去的后半段，少见高楼与矮房子的突梯拼贴，多为等高的公寓楼房。例如著名的厦门街一一三巷，在我的地理时空里，一一三巷是很后来的文学地志标记，从前从前便是：同安街过汀州路，过了小学同学家里开的宝华文具店（至今还在），遇到第一棵大榕树右拐进去，我暗恋的男孩就住在巷内，因此每天放学回家时脱了路队特地绕远路，来来回回在巷子里徘徊不去，只为了多瞧几眼他的窗口。再大一点开始懂得搭公交车，往北到重庆南路东方书局、知新广场，往南到公馆金石堂，一本一本搜集洪范、尔雅的书，包书套题签悉心保存不肯轻易借出，却不知道多少次早在那条花木扶疏的幽静小巷与之错身而过。

前阵子因事第一次造访洪范出版社，走到久违的一一三巷底，尽头处有个小公园，孩童还未放学，几名外佣推着老公公老婆婆出来晒太阳。悠缓适合打盹的午后，我在五楼公寓下张望许久，不见招牌，抬头只见九重葛爬满窗缘。照着地址按了电铃，对讲机无人闻问，门却径自开了，上了楼，先进到旧式公寓常有的外阳台玄关，推开纱门才是正厅，让我突然有个错觉，好像是来朋友家里拜访，要脱了鞋才能进去。老派公寓有着老派方正格局，摆了几张办公桌椅，员工不多，那员工的敦厚笃实也像是个家人模样的，像个忠心耿耿的家臣，待住了便不走。我书柜里的鲁迅、沈从文、周作人、王文兴、杨牧、郑愁予、西西、钟晓阳……青春期大量灌溉焦土的泉源活水，均出自这庭院深深大隐于巷的家庭办公室，于外表毫不惹眼的百花深处，隐秘盛开。

——原载二〇一二年十二月《文讯》杂志第三二六期

暮光秋色

陈文发／文

经过多年后，我还是骑车去看看那四连并的七层楼建筑还在否？一直以为那幢鹅黄色贴砖的高楼，在潘人木先生病逝后，就被家人变卖，移为平地盖起豪宅大楼。到了建国北路一段二十三巷内，看见高楼还在原地，那间潘人木曾经住过的六楼，虽然房产已换了主人，但阳台上长排的咖啡色防晒玻璃窗，还是保持着多年前的样貌，没给它戴上钢铁枝节般的防护罩。

每回经过八德路的中央日报斜对面的路段，脑中总会浮出潘人木的名字，以及我为她拍下的照片影像，转眼间我的生命旅程又步履了十年。为了确认拍照日期，翻找一箱沉重的历年日记，在二〇〇二年日记本里的十月十日，记载着"午后三点，潘人木家中拍照"，我忆起她晚年的作息，都是中午过后才起床，开始一天的生活。

整整跟她约了三年要去拍照，但她总是说很忙，这时飞大陆，那时又飞美国，最后说家中正在装修很乱不便见人，等装修好再来拍吧！又隔了一年，知道她从美国刚回台，打电话给她，她说时差还没调整好，那你礼拜四，下午三点来好了。

第三次前往潘人木家中之前，以为室内已装修得美轮美奂，墙面应该刷得粉白且焕然一新。搭上电梯到了六楼，轻轻推开半合的铁门，饭厅微暗的光线从阳台上引了进来，木块的地板以及灰了白的墙面，都原封不动地保存着，如同我几年前来过的记忆。

屋里有一股刚沐浴后所余留的水气与香味在盘旋。她一手梳着未干、微微发亮的头发，另手拿着一本书走过来，坐在客厅窗边背光的沙发上，说最近正在读这本姚篷子的传记。她向我解释姚篷子就是文化大革命时，"四人帮"成员之一姚文元的父亲，他是三〇年代的诗人。她说这本传记的内容有不少错误，比如姚篷子在重庆开办的"作家书屋"书店的地址，就写错了。

她忆起一九四〇年在重庆就读中央大学外文系时，写了一篇文章《明日中秋》，参加"蒋夫人文学奖"获得第三名。姚篷子还特别来到中央大学的女生宿舍外头找她，告知她获奖的消息，也给她一些写作上的意见，她才知道姚篷子是文学奖的评审委员之一。后来她还去过"作家书屋"找姚篷子，所以她记得清清楚楚是哪条路的几号店铺。

边聊着天，她的手一边抛着小沙包，双手开攻，在左抛右接后即刻又右抛左接，她说这是从朋友那学来，小沙包则是买点绿豆、红豆自己缝成的，没事就来抛个几下，听说可以预防老年痴呆症。她说起丈夫走后，从银行保险箱把丈夫收藏的世界各国的纸钞钱币取回，放在大楼地下室的储藏室，后来想去拿出来把玩，却怎么翻找也找不到，过了一段日子，这些钱币纸钞居然出现在家中角落。家里就只她一人独居，她有次也发现厕所里的卷筒卫生纸，居然会自动滚动，滑落一地，这些奇异的现象，让她感觉到丈夫似乎还陪在她身边一起生活。

秋日的季节，天幕总是降得特别快速，为了抢下将渐暗的自然光，不得不打断她讲了一半的故事，请她挪坐在我客坐的位置上，寻着光线的边缘，为她拍下八十四岁的身影。坐回原位后，她说起一段陈年往事，在重庆后方八年，无法回去北京探视家人，抗战胜利后她终于如愿以偿，回到北京与家人团圆。她母亲拿着一张她中学的作文考卷。让她看看，上面有她写的作文以及写上的姓名，原来是家人在市场里买花生时给包回来的纸张，摊开来居然是她的作文考卷，她看了为之惊讶，这张考卷从学校开始流浪到街头，到最后居然回到自己的手上。她说可能是她的本名潘佛彬有一个"佛"字，所以冥冥之中有神明保佑着她，让她的一生遇到的很多险境，都化险为夷地平安度过。

二〇〇五年潘先生从美国探亲回台后，直觉身体不适，到台大医院检查，发现已肺癌末期，最后住进安宁病房，她不想见任何人，只感叹一切来得太突然，让她自己也措手不及，她渴望能再有多些的生命，去处理她未了的事。

潘先生往生后，我才得知她生前已经修订好一本未出版的小说稿，托付一位资深编辑代为打字。后来资深编辑也向国艺会申请出版补助，隔了两年还是未见出版。遇见她时，问了出版状况，只轻轻地说："没时间处理，撤销了补助案。"再过几年问她，也是轻轻地说："小说稿不知放到哪里去了？"

喔，我的天啊！

——原载二〇一二年三月二十六日《中华日报》副刊

四季桂

朱天衣 / 文

　　人们都说八月桂花香，桂花应该是在秋季绽放香溢满园的，但我们家的桂花却从中秋直开到夏初，四季都不缺席，所以又被称为四季桂。讲究些的会把花色淡些的唤作木樨，我们家种的便是如此，但我仍执意当它是桂。

　　父亲喜爱桂花，我原生家庭门旁两株茂密的桂，快有四十高龄了，虽种在花圃中，却仍恣意生长，不仅往高处伸展，更横向环抱，两树连成一气，漫过墙头自成一片风景，猫儿游走其间，犹如迷宫般可供戏耍。父亲也喜欢兰，还曾和他到后山搬回半倒的蛇木（笔筒树），截成一段段来养兰。记得锯蛇木的当口，在院中游走的鸡硬凑到跟前，先还不解，直至从截断的朽木中窜出几尾褐紫色的蜈蚣，才知那鸡真有先见之明，一口一尾，三两下便给它像吃面条一般吸食个尽。待等父亲收拾妥当，便会将兰挂在桂树下，一来遮阳，二来悬空的蛇木也不致沦为猫爪板。

　　桂花飘香时，便是父亲忙桂花酿的时刻，那真是一份细活，一朵朵比米粒大不了多少的桂花，采集已不轻松，还要将如发丝般细的花茎摘除，那是只有细致又有耐心的父亲做得来的。接下来便会看到父亲将拾掇好的花絮，间隔着糖一层一层铺在玻璃罐里，最后淋上高粱酒，便是上好的桂花酿，待等来年元宵煮芝麻汤圆时，起锅前淋上一小匙，那真是喷香扑鼻呀！整个制作过程，我们姊妹能做的至多就是采撷这一环，有时在外面觅得桂花香，也会结伴去偷香，我就曾被二姊带到台大校园，隔着一扇窗，一办公室的员工便看着两个女孩在桂花树下忙着收成呢！

除了自制的桂花酿，挽了点桂花香的"寸金糖"，也成了父亲写稿时难得佐伴的点心。这"寸金糖"在当时只有"老大房"贩卖，我们姊妹仨不时会捎些回来，不是怎么贵的东西，父亲却吃得很省。他对自己特别喜欢的事物，总能有滋有味地享用，但也不贪多，几乎是给什么就吃什么、供什么就用什么，即便是镇日离不了口的烟，也只抽"金马"，后来实在是不好找才改抽"长寿"，而茶则是保温杯泡就的茉莉花茶。我们是长大后自己会喝茶了，才知道拿来做花茶的茶叶，都是最劣质的，甚至连那茉莉香气都是赝品，是用较廉价的玉兰花代替，而这浓郁的玉兰花是会把脑子熏坏的。记得那时二姊每次夜归，会顺手从邻人家捎回几朵茉莉，放进父亲的保温杯中。唉！这算是其中唯一珍品了。

父亲的细致端看他的手稿便可知悉，数十万的文稿，没一个字是含糊带过的，要有删动，也是用最原始的剪贴处理。那时还没有立可带，写错了字，他依样用剪贴补正，且稿纸总是两面利用，正稿便写在废稿的另一面，有时读着读着，会忍不住翻到背面看看他之前写了些什么。他擤鼻涕使用卫生纸，也一样会将市面上已叠就的两张纸一分为二，一次用一张，但他从没要求我们和他做一样的事。

　　父母亲年轻成家，许多只身在台湾的伯伯叔叔，都把我们这儿当家，逢年过节周末假期，客人永远是川流不息，如此练就了母亲大碗吃菜、大锅喝汤的做菜风格。即便是日常过日子，母亲也收不了手，桌上永远是大盘大碗伺候，但也从不见细致的父亲有丝毫怨言。到我稍大接手厨房里的事，才听父亲夸赞我刀功不错，切得果真是肉丝而不是肉条，我才惊觉这两者的差异。

　　有时父亲也会亲自下厨，多是一些需要特殊处理的食材，比如他对"臭味"情有独钟，虾酱、白糟鱼、臭酱豆、臭腐乳，当然还有臭豆腐，且这臭豆腐非得要用蒸的方式料理，不如此显不出它的臭。几位有心的学生，不时在外猎得够臭的臭豆腐，便会欢喜得意地携来献宝，一进门便会嚷嚷："老师！这回一定臭，保证天下第一臭！"接着便会看到父亲欣然地在厨房里切切弄弄，不一会儿整间屋子便臭味四溢。欣赏不来的我们，总把这件事当成个玩笑，当是父亲和学生连手的恶作剧，因此餐桌上的臭豆腐就让他们自己去解决吧！但往往那始作俑者的学生是碰也不敢碰，所以那时的父亲是有些寂寞的。或许是隔代遗传吧！我的女儿倒是爱死了麻辣臭豆腐，只是很可惜，他们祖孙俩重叠的时光太短浅了。

　　父亲也爱食辣，几乎可说是无辣不欢，他的拿手好料就是辣椒塞肉，把调好味的绞肉拌上葱末，填进剔了子的长辣椒里，用小火煎透了，再淋上酱油、醋，煸一煸就好起锅，热食、冷食皆宜。一次全家去日本旅游大半个月，父亲前一晚就偷偷做了两大罐，放在随身背袋里，这是他抗日利器，专门对付淡出鸟来的日本料理。

其实父亲的口味重，和他半口假牙有关。以前牙医技术真有些暴横，常为了安装几颗假牙，不仅牺牲了原本无事的健康齿，还大片遮盖了上颚，这让味觉迟钝许多，不是弄到胃口大坏，就是口味愈来愈重，这和他晚年喜吃咸辣及糜烂的食物有关。且不时有杂物卡进假牙里，便会异常难受，但也少听他抱怨。他很少为自己的不舒服扰人，不到严重地步是不会让人知道的，即便是身边最亲的人。

父亲在最后住院期间，一个夜晚突然血压掉到五十、三十，经紧急输血抢救了回来，隔天早晨全家人都到齐了，父亲看着我们简单地交代了一些事，由坐在床边的大姊如实地记了下来。大家很有默契地不惊不动，好似在做一件极平常的事，包括躺在病床上的父亲。

等该说的事都说妥了，大家开始聊一些别的事时，父亲悠悠地转过头对着蹲在床头边的我说："家里有一盆桂花，帮你养了很久了，你什么时候带回去呢？"父亲那灰蓝色的眼眸柔柔的，感觉很亲，却又窅窅的，好似飘到另一个银河去了。我轻声地说："好，我会把它带回去的。"那时我还没有自己的家园，我要让它在哪儿生根？

中国人有个习惯，生养了女儿，便在地里埋上一瓮酒，待女儿出嫁时把酒瓮挖出来，是为"女儿红"，若不幸女孩早夭，这出土的酒便为"花凋"；也有地方生养一个女儿便植一棵桂花。父亲没帮我们存"女儿红"，却不知有意无意地在家门旁种了两株硕彦的桂；我并不知道他也一直为我留着一棵桂，为这已三十好几还没定性的小女儿留了一棵桂。

父亲走了以后，时间突然缓了下来，我才知道过去的匆匆与碌碌，全是为了证明什么，证明我也是这家庭的一员？证明我也值得被爱？大姊曾说过她与父亲的感情像是男性之间的情谊；二姊呢？该比较像似缘定三生的款款深情；至于我，似乎单纯地只想要他像个父亲疼爱我。我一直以为作家、老师的身份让他无暇顾及其他，但一直到后来，我才知道那是父亲的性情，对世间的一切事物都深情款款，却也安然处之，不耽溺也不恐慌。

一直到父亲走了，我整个人才沉静下来，明白这世间有什么是一直在那儿的，无需你去搜寻，无需你去证明，它就是一直存在着的。

当我在山中真的拥有了自己的家园时，不知情的母亲，已为那株桂花找了个好人家。是有些怅惘，但没关系，真的没关系，依父亲的性情，本就不会那么着痕迹，他会留株桂花给我，也全是因为他知道我要，我要他像一个世俗的父亲待我。

而今，在我山居的园林中，前前后后已种了近百株的桂花，因为它们实在好养，野生野长地全不需照顾。第一批长得已高过我许多，每当我穿梭其间，采撷那小得像米粒的桂花，所有往事都回到眼前来。我们每个人都以不同的方式怀念着父亲，而我是在这终年飘香的四季桂中，天天思念着他。

——原载二〇一二年三月八日《联合报》副刊

从后火车站出发的人生

刘克襄 / 文

上个月，后火车站华阴街失火，有三人不幸命葬祝融。大火前一个小时，我才在附近的批发百货店走逛，寻访旧时的商家。此一大火，不禁触发我忆起一些往事。

四五十年前，从中南部搭火车上来，准备在台北打拼的人，人生往往只有两个出口。老家的成长环境，似乎便命定了，要从前站出来，或者从后站下车。从前站喷泉广场出来的，泰半拥有高学历，可能已在金融商圈、广告媒体或者公家机关等单位，谋得一职位。也有继续求学者，继续其寒窗苦读的生涯。但多数人是从后火车站认识台北。他们国高中毕业，十七八岁出头，甚至有小学才读完的十二三岁童工，携着简单家当，盘缠有限，恐怕连回家的钱都不够。这些不及弱冠的少年，站在后火车站前，举目无亲地张望时，迎接他们的是一群职业介绍所的男子。每个口气都像军队里的教育班长，香烟不离手，脏话不离口，老到地吆五喝六。

下港人憨厚者多，傻愣愣地，常受不了几个谗言催唤，便懵懂地跟着人家，像待宰的鸡鸭，被塞进小货车。有的还因年纪太小，属于违法打工，必须藏在卡车后的帆布篷里，躲避警察的追查。他们惊惧而茫然，被载至初次听说也初次抵达的三重、五股或中和。在这些卫星小镇的铁工厂、成衣厂，以及某种加工厂之类，开始从事最卑微、艰苦的劳动行业。或有不愿屈就者，继续窝在华阴街附近，找间便宜的木造小旅舍下榻，日日出来闲逛，等候待遇较好的工作。附近炒面炒粉的小摊生意，顺势也特别兴隆。

大抵说来那时工作机会多，只要肯拼，愿意积蓄置产，离乡二三十年后，他们还是能完成心目中的梦想。在远离家园的北部，成家立业，进而挣得一屋居住。如今毋庸贷款，或者只剩下零头轻松缴交。当年歌手林强著名的闽南语歌《向前行》，轰动街头巷尾，大抵道尽了这种打拼的可能。小老百姓不懂大时代变迁，但很清楚，那时的环境或许艰苦，却人人有希望。现在社会富裕，机会反而大减。在这一最需要广大劳力的时期里，下港人戮力参与台北盆地的经济建设，共同打造了今日的台北模样。从后火车站开始的人生，应该是不少中生代市民生命里最精彩的篇章，回忆台北最重要的起点。

如今后火车站不见了，除了一个北淡线的怀旧广场。一辆旧时列车摆置着，挂个不知所云的"第三月台"牌子，一切无从记忆。尽管周遭依旧，仍是五分埔的扩大版，各式各样便宜的批发百货，密集地堆挤于街坊骑楼。更远，还有亮丽帷幕大楼的京站百货，预示着未来的繁华，我还是若有所失。这场不幸的大火，似乎也点着了一个失落的艰辛岁月。那是梦想可以燃烧的年代。年轻人只要胼手胝足，可以放胆结婚，建立美好家庭，勇敢生子。油电再如何飙涨，靠着双手打拼都能捱过。房价再如何翻扬，也可挣得一席之地。

我若是相关单位，大抵会从这个角度考虑，从周遭老旧的街屋，寻得一个代表性楼宅，规划这样一个蓝领阶级的下港人博物馆，把六七十年代的生活风物悉心整理，做一有意义的展示。不仅向半世纪以来北上打拼的人致敬，还想知道什么是梦想，到底建基在什么样的社会人情和义理中。在那梦想可以燃烧的年代。啊，你若是下港人，还记得当年北上，是从前站出来，或者在后站下车?

——原载二〇一二年五月二十二日《联合报》

旅行，是一首诗

陈文茜／文

人生的一端在居住地，另一端在原始。只有旅行，可以找到原始。

旅行不只是七嘴八舌的观光导游，它其实是一种哲学。它代表探索人生，你的、他人的，现代的、古代的。旅行的最大好处之一，你可以撷取人生美好的段落，到一个城市选择你想要的角落；到一个国度，想象一段沉醉的文明。我们在一个熟悉的地点，难免感到窒息，我们被迫承受一切，没得选择，总想逃避；旅行不同，它像朗读一首诗，不需经历太繁复的转折，句子短，却美不胜收。每一个旅行地点，都好似与你发生恋情的某段回忆，虽缠绵不断但却见好就收。

法国十九世纪诗人波特莱尔非常珍惜旅行的幻想。他视旅行为一种标记，代表着高贵的、追寻的灵魂。他说诗人之所以为诗人，正因为他们具备了相似的灵魂，家乡的地平线不能满足诗人。每一块土地都有命定的限制，诗人的心总在希望与失落之间摆荡，在幼稚的理想与愤世嫉俗之间游移。诗人必定是位旅行者，注定活在一个堕落的世界，同时拒绝退而求其次，于是旅行满足了诗人所需的伟大愿景。

我一辈子对来来去去的场所情有独钟，港口、火车、驿站、飞机场。每一个来来去去的场所都代表出走，也预言飞奔的选择。多半时刻我们居住的房间，就一个大门，顶多外加逃生门。那些火车站、港口、飞机场等，却有着无数的门，代表太多的选择。在凤凰城，United Airline转机的机场，人们走到Gate67，等待的飞翔物可以带你到南极；或者Gate23，带你至里斯本晒太阳；或者Gate17圣彼得堡找冬宫的猫；或者Gate31北京走长城。真正的欲望就是离开，离开我们被限制的地点，哪里都好！世界那么大，哪里都好。

现代计算机屏幕，总会秀出每个出发班机的代号和时间，它们排列的方式，虽然了无新意，却因为简单无趣，反而触发人的想象力。随着屏幕上的信息指示，到了标示舱口，走进一个有若阿里巴巴四十大盗的门，门旁一位女士礼貌地收下票根，走进长廊，坐定扣上安全带，几个小时后，我们就可以抵达从来不曾熟悉的地点，你可以展开不断的选择，没有人知道你叫什么名字，人生不需要太多的回忆，只需不断地选择、探索、选择。那些命定的禁锢，弹指之间，即解开了。

每回我走在机场、港口或车站大厅，总有一股冲动，把原票根丢了，重新冲到柜台，买一张新的机票。到哪儿去都好，做一段疯狂的梦，把它化为旅程。那一刻，我原本因等待带来的不耐、倦怠与绝望，突然出现了新的曙光。我有生之年一定要做到这么一次，出其不意地，搭一班飞机，往地球最北的方向，只为了看一眼北极光。

如果以旅行的工具而言，我并不喜欢飞机。它唯一的好处只是速度，以及有云作伴；我喜欢搭船或者铁路。或许是水手的想象吧，船像个四处漂泊的家，每次出航，汽笛声一鸣，好像预告着"要私奔的人快来哦！"人在船只的移动中，得到了最大的自由，你可以任意停泊任何港口，然后过个两天，轻言和它说Bye Bye。每次巧遇都已预言了道别，人生总在惊喜与悲伤交替之中，创造各种可能性。

　　铁路与船只的发明，是"大旅游时代"的产物。欧洲人向往地中海，向往东方，虽然他们的东方只是到埃及，但在十八世纪，这已是航海科技的极致了。欧洲人深信二千五百年前，那些造成欧洲起源的文明，仍深深影响着当前欧洲人的生活——细心安排的美酒，优雅的闲散，一首慵懒的歌曲，无法抗拒的阳光。地中海的旅游想象，让人类第一次出现"旅馆"这个新兴产品。于是雄伟的古典图像旅馆，沿着海滨创造了人类第一波旅行文明；于是希腊式列柱与门廊旁，有了温泉浴场；西班牙阿罕布拉宫旁，有了城市花园；那不勒斯盖起了第一条海滨步道；罗马喷泉旁，多风的日子，抚慰了丧失天堂的人类。十八世纪发生的这一切，是人类有史以来最大的移动风潮。真正文明的全球化，从那一刻才开始。

　　所有的交通工具中，火车的景观变化最多。如果你可以拥有单独的包厢，火车与轨道拍打的速度节奏，刚巧有若木鱼，咚咚咚咚，意外带给你惊人的平静。

　　坐在车厢里，你拿着平日看不完的书，眼若倦了，随着火车的心跳声，好似躺在一个雄伟男子的胸膛上，听着他的心跳，沉沉入睡。窗外的景观，更是如流动的图画，像一部没有故事内容的老电影，用人工把一个个图片以快速度呈现眼前。原本陆地上隔开人与人之间的山，在铁路发明后，成了神奇的魔术师。过个山洞隧道，还是草地的景观变了，一阵黑暗，之后再见光，海无垠无涯地映入眼帘。樱花之后，还有樱花；凤凰之后，总有凤凰；回忆之外，更有回忆。没有任何事物可以挡住轰隆隆的火车，大海、高山，全挡不住，除非火车选择自己刹车。

这时移动的乐趣，已超越目的地本身，成了旅行中最大的快乐。

七十年代意大利一部电影《巧克力》，说着火车如何连结欧洲，区隔阶级，并且提供一名意大利工人跨越命运的想象。一名工人出生在意大利北方，老婆是个聒噪的胖婆子，家里总挂满着她自制的意式腊肠；每日屋中，孩子成群，没一刻安静。他受够了，决定搭火车寻梦，过一个海底隧道，抵达法国。依着寻人启示，他找到了南法古堡庄园中的园丁工作，起初他徜徉于花草之间，一切美不胜收；某日当他正追着一只待宰的鸡，准备给厨房做晚餐食材时，庄园主人的女儿一丝不挂骑着白马从眼前奔驰而过。他目瞪口呆，欲望难捱，裸体女人却瞧也不瞧他一眼。那一刻他才明了，火车不能带他脱离命定的贫穷，那个他想象的距离，太远了。

假日、假期、旅行的概念二百五十年前发明于欧洲，随着工业革命、资本主义、劳动阶级的平权运动，这几个字眼填满了欧洲人今日主要的生活想象。旅行的世界所以迷人，因为它是真的，你身陷其境；它又不是真的，不属于现实世界，你的处境随时回过头来，占满了主要生活。在旅行的世界里，满足永远只有咫尺之遥，渴望一直沾染着失望；那是一个浓缩的幻影，像一首诗，更像一部电影。你闯入导演拍好的胶卷中，无意中参与了一段戏，戏到了入分上头，你却被迫退出。每一个旅行者都有类似的经验，你到了一个陌生地点，爱上了它的夕阳，道别时依依不舍，只能再看它最后一眼。日后在你的心目，它只化为一种想象与期待。

阅读旅行史与人类经济史的交叉发展，十分有趣。十八世纪的旅游只局限于欧洲精英阶级，十九世纪末到二十世纪，铁路、汽车的发明把劳工带进了休闲市场。到了二十世纪晚期，最不常度假的反而是发明旅游的贵族们。贪得无厌的大老板们，活在无限欲望的生产时代，权力的饥渴与瞠目结舌的财富追寻连手起来，剥夺了当代贵族的休旅人权。他们没得片刻休息，只能把旅行还给十八世纪时完全看不上眼的非精英阶级。

福楼拜若活到今日，望知当今富豪阶级们丧失了旅行的自由，必会"放个大屁，响彻全鲁昂"（福娄拜语）。十九世纪浪漫主义文学家的心里，旅行等同快乐。福楼拜二十五岁那一年，父亲死了，他继承了大笔遗产，开始实现埃及之旅，当他找到同伴德坎普时，脱口说了一句话："把鲁昂留给那群劳碌命的中产阶级，他们已活得像附近溺死的牛。"

总之，人不快乐的原因就是把自己关在一个跑不掉的地方。全世界每一个城市都有它的定律与固执，拒绝改变。我们长期生活其中，连想象式的逃脱都做不到，那我们只是一个关在大型监牢里的囚犯。或许我们注定在某一个可怕的城市中生活，但不表示我们命定绝望，总有一些可能性，总有。

　　大雨仍下个不停。下个月，我准备给自己一趟远途的旅行。在台北的雨中，我看到了托斯卡尼清晨的曙光。六点左右，一道灰灰的云，然后紫云又穿过这道灰云；接着微红的日光正式登场，灰色的天空出现了一道黄铜般的光线；等这一切都消逝时，托斯卡尼的早晨，已然登场。

　　我要去旅行了。

——原载二〇一二年八月十三日《人间福报》

超马行

袁晓炜 / 文

五月五日，早上七点十五分，二〇一二年北宜公路超马赛起跑。起点台北新店碧潭桥下，终点宜兰礁溪五峰路旁，全程五十三点五公里，一千人参赛。我，是那一千分之一。

大清早的捷运车厢一路吞下满满的跑者，人人背着丑不拉叽的红色衣保袋（路跑协会）或紫色衣保袋（超马协会）。街旁的男女老幼，有的看来强悍，有的却像是典型的城市饲料鸡——白白嫩嫩，不像是常在野外打野食的角色。

我们，马拉松跑者不像一般的田径选手，通常不高、不帅、不起眼，也不求快。我们选择用双脚谦卑地感受地母的宽广与浑厚。天覆地载，大地的端凝厚重，只用轮子辗过是感受不到的。

除了效法偶像——例如村上春树或张钧宁之类的名流美女之外，长跑者们的动机其实殊堪玩味，不足为外人道。我们，这些经常一大早起来练习自虐的上班族，每一个人心目中大概都有个狂野的梦——有朝一日，能用"身体的本钱"来赚钱。倒不一定是那种"水电工阿贤"赚钱的方式（不过真的有不只一个金融同行表示他们的dream job是舞男），而是那种可以提醒我们千万年以前，当男人还是必须用肌肉与力量来证明存在价值，以获取雌性青睐，让自身基因能够传递下去的工作。（不过那个年代的求偶方式稍嫌直接了些——拿根棒子，敲昏女孩，拖进洞房，就算完成了终生大事。）

俱怀逸兴壮思飞

哨音响起，大家一阵欢呼，人龙开始往山上移动。感觉自从大雪山被雪隧开膛破肚之后，北宜公路应该已是一条寂寞、宁静、惊险又美丽的路。二溪鸟鸣啼不住，轻步已过万重山，这五十多公里该是能让跑者结合自己心跳、脚步声，再加汗水坠落大地的轻响，缀成一曲美妙的韦瓦第"四季"的吧？

结果完全不是如此。我们一路看到各式各样的车轮驱动物体。狮虎般低吟的载重卡车，迅雷样呼啸的重型机车，轻风似咻呦的公路自行车。谱成的却是一章章呕哑嘲哳、心惊胆跳。

除了车声，还有人声。刚开始跑的时候，许多兴高采烈的参赛者，此时都会不吝与素昧平生的人分享自己的光荣战绩——某年某月某日，某次某地某赛。当其他人气喘吁吁的时候，自己能够夸夸而谈、面不改色，仿佛就已经是一种超越同伦的骄傲。

但是这些一开始看来厉害的，到最后未必都行。长跑与短跑不同——你没办法几个小时都有肾上腺素的刺激，都酷使你肌肉细胞里的潜力。长跑，是一种生存的态度，一种不停止呼吸的方式，一种逐渐适应环境的本能。

人类第一次征服南极点是在一九一一年十二月十四日，得到这顶桂冠的是挪威探险家阿蒙森，他的信仰是：长途跋涉或者运动之时，你必须自我调整行进的步调，不用太在意别人的脚步。杭佛的《阿蒙森传》中这样描述着大探险家的哲学："爱斯基摩人从不赶路。他们抗拒过分使用力量。对他们来说，工作有一定的步调，必须要尊重。对外人而言，或许会觉得那是种难解的惰性，但一旦了解他们生活的气候以后，就知道他们仅在发挥常识罢了。"

将进酒，杯莫停

山路又东，十公里的第一补给站到了。这场超马的特点是：不像一般马拉松二三公里就有水有粮，这一次每十公里才设一个补给点。因此选手们得像西出玉门的岑参一样，不只双袖龙钟着离愁与不干的泪，背上腰间，提的扛的，该带的补给品自个都得带好。

少数马拉松会搞得像嘉年华般，奢侈地一路奉上红酒小食。但跑者们的胃口不大，水、盐、梅干、香蕉、卤豆丁、运动饮料，这些就已经是我们心目中的钟鼓馔玉了。长桌前充满了欢乐的气氛，大家彼此协助着递送并装满水壶，取笑着对方的狼狈。

我们期望营养，但不奢求饱足。像波兰作家布鲁诺·舒尔茨的《肉桂店》的开卷章那般的景象，是不曾也不会萦绕烦扰我们一分的："雅黛拉从市场回来，绚烂的阳光从她的篮子里洒落，有果皮吹弹得破、鲜美多汁的粉红樱桃，有闻起来比吃起来还棒的奇特黑醋栗，还有摆放了好几个下午、包覆着金黄色果肉的杏子。在如此诗意的水果旁，她拿出如键盘般的排骨，以及酷似疏落有致的花朵枝桠的海带。……这许多材料，一起散发出某种原始的乡村野味。"

马拉松跑者不需要盛宴，只需给我热量，让我向前。一份"南极点奖赏"就会是很棒的补给。这个典故是来自于雷诺夫费恩斯与麦克·史卓，一九九二年的第一次"无协助横跨南极之旅"——也就是不靠任何机械与兽力，自己拉着一雪橇的补给品走完全程。当他们到达南极点，雷诺夫给自己的奖赏是"一条马斯巧克力棒……切成二半，并在吃巧克力的奢华气氛中，贺喜自己到达极点。"

泥沙塞中途，牛马不可辨

山路再东，到达二十公里补给站。长桌前还是有人絮絮叨叨地讲着以往比赛的光荣。烦。

这种"我以前当兵的时候"式的对话，跟"我周末什么都不做只上网和睡觉"一样，被列为宅男钓女失败的两大原因。办公室的女同事们一听到底下的话就作鸟兽散："我跟你说啊，我们当兵的时候，哪像现在这些少爷，三十二度不出操，冬天能洗热水澡，吃饭还有色拉吧，休息竟敢上网飙……我们当年——那是对岸的水鬼会上来摸脑袋的年代啊！"

对于这款"想当年"的话题，我一向作壁上观。理由无他，第一，显老，似台北十一月的冬雨，绵绵密密，没个了期，惹人厌；第二，会掺进自己也不想要的伤逝情绪，乱人意。

想起马克·吐温的小小说。大意是本来人只能活一二十年；但因为人会盖房子，各种动物都想寻个遮风避雨的空间。于是人开条件了，马、牛、狗各给人讹了二十年的阳寿，以换取头顶那一片天花板。可是人在能活到八十岁以后，真正快乐的还是一开始那一二十年；其他从动物来的年岁，二十几到三十几岁像马，爱慕虚荣，争争竞竞；三十几到四十几是牛的年纪，家计工作，食指浩繁，牛一般被压得喘不过气来。到了五六十以后像狗，什么都不会做，只吠。

别当狗啊，我提醒自己。

行路难，归去来

山路续东，开始进入"牛"的距离——三十公里左右是大部分人的"撞墙"期。跑者们开始左来右去地换道，一下靠着山壁，一下又换到路缘。路其实是有情绪的，只有亲身跑过才知道，看似平缓的路线，加上山与树可以玩出什么样的错觉诡计。平路其实是长坡，缓坡实则陡峭，一弯接一弯，长亭又短亭，爬到万念俱灰的时候，却发现像倒霉的哥伦布一样，千辛万苦地发现新大陆，并试着和第一个遇见的土著讲印度语时，却发现还有一整个北美洲要跨越，才到得了梦中的大汗之国。

路边出现了有趣的标志。三十几到四十几公里的距离牌旁，绿底白字地写着：本路段加强监控。活似三四十岁的男子面临瓶颈，苦闷压抑，却被婚姻事业生活的线绑住，不得自由丞欲出轨的心情写照。这一时期的白领男子们通常西装革履，诗礼衣冠，可是隐隐间弥漫着一股躁热的、不安的、期待改变的费洛蒙，骚动着那反抗与不甘心的潜意识。

我们正在被畜养驯化，中年男子心里如是说。畜牧业的英文叫做Animal Husbandry，直翻就是动物丈夫化，听来很怪，仔细想倒有点望文生义——畜牧就是圈养野生动物，用舒适环境减抑它的野蛮，用定时喂食消灭它的兽性，用安全有守护的夜晚消磨它的警觉。这真的是结了婚的男人的写照啊！

为什么会骚动不安？因为"时亹亹而过中兮，蹇淹留而无成"的危机感。早上起床照镜子时不觉得自己变老，但每次与新的照片比较，就发现自己又"不同"了一点。你讲不太出来是什么地方改变，皱纹没多一条，黑斑不少一个，可你知道，事情就是不一样了。头发还是黑的，但亮丽与光泽就差了些；体重计上的数字一如往常，可旧衣服就是穿不进去，地心引力与时间之神竟相在你身上施展魔法，就像跳出阿拉丁神灯的精灵，你很难再把自己塞回去原来那副躯壳或那套衣服了。

就像《围城》的感觉：墙里的男人们，背着父亲丈夫经理会长阿那答的枷锁，不论青年才俊或中年彷徨或老年懊悔，都思索着跳出墙去的机会成本，也逡巡着代价最小的突破方式。大陆七十年代末，在那改革与文革还不知谁领风骚的年代，有一首叫《墙》的诗描写了类似的心境："我无法反抗墙，只有反抗的愿望。我首先必须反抗的是：我对墙的妥协，和对这个世界的不安全感。"

我不反抗墙，我要征服走完的是眼下这还剩十几公里的路。

大鹏飞兮振八裔，中天摧兮力不济

山路转往东南，即将攻抵四十公里，也快到了北宜公路的最高点，对抽筋的感觉已经麻痹。关于抽筋，我个人对这种生理现象有着仔细的观察与体会。第一，有好几根筋是从头顶一直连到脚底，当真正抽搐的时候，这种"痛快"相当"彻底"。第二，我们以为抽筋只会发生在小腿及大腿，错，腰也会，脖子也会。如果说小腿抽筋像马蜂螫，腰部抽筋就像蚂蚁咬，绵绵密密地，不是很痛，但却像失恋那样，一直存在很久很久。第三，书上教我们抽筋了要立刻休息，错，因为那会更痛，而且一停就很难再继续。正确的方式是持续运动，但稍微减轻力道，你的肌肉自然会调整到OK的状态。

人生的四十也有很多麻痹或是我们称之为"习惯"的东西。当许多事情麻痹成生命的惯性之后，日子就愈过愈没感觉，快。就像这场超马，不知不觉就到了全程的顶点。我们之间的大多数人，不也是在四十到五十上下到达人生的顶点？高处不胜寒，怕。

怕什么呢？怕老，怕会变，也怕落伍。成名较早的人物通常都会面临这样的挑战，套句菲茨杰拉德在《了不起的盖茨比》里的话，"这一类型的人……已经在某种局部范围之内尝到登峰造极的滋味，从此一辈子只好走下坡路了。"英雄极怕白头，美人难忍寂寞，原因倒也未必是对于幽闭空间的恐惧，有时只是——他们并不像自己或是群众想象的好。更多的时候是，他们没办法跟着时代一起进步，没在该凋隐的时候消失。

已经远远地落后领先群，许多女性跑者开始超过我。我们这些骄傲的公鸡也大概是在这个岁数，在职场上落后给女性的同僚，变成明日之星眼中的老士官长——而且一落后就注定再也扳不回来。孔子说："后生可畏，焉知来者之不如今也？"他老人家没讲的是"女生可畏"，而且他还毒舌地下了听来很伤男人自尊的断语："四十五十而无闻焉，斯亦不足畏也已！"

想不到什么反例，好像只有七十拜相的姜子牙与六十创业的肯德基上校。所以张爱玲说"成名要趁早啊"。

知天命的我现在不讲名次，只想跑完。

大道如青天

北宜公路五十九点五公里处，我们先转向右下上新花园，再接"跑马古道"，还有六公里。从沥青铺面的平路，变成碎石砌就的古道。

最后的煎熬。眼睛只能盯着地上，世界仿佛凝定在脚下，嘴巴大口大口喘气，前进变成十公分十公分的事。突然想起一幅讽刺工业时代的荒谬画，画的上端是成对翩翩起舞的时尚男女，中间是金碧辉煌的娱乐场销金窟，还有各种工业的成果，电灯、电车、工厂，然后画的下端告诉你所有这些工业成果的能源从何而来——两只不停地踏着轮圈的小白老鼠。

我现在就把自己化约成只是机械式运动的小白老鼠。不是我在前进，而是这世界在倒退。

转进平地，胜利在望。有一对穿着美国队长衣服的跑者，跑过我时挥拳高呼："加油，你可以完赛的！"这种莫名的鼓励激振挤出了最后一丝肾上腺素。我只剩给他们一个感激的眼神的力气，然后继续颠踬前行。

冲过终点，湿漉漉、空荡荡的感觉。暂时不能露出精疲力尽的样子——为了旁边正在加油的人。我知道这时候我背负了一种社会的期待——yeah，那些人可能永远也不会自己下来跑一次超马，可是他们期待有人能完成，就像沙发马铃薯借着看电视运动一般，别人的汗水，别人的痛苦，别人的气喘吁吁，都能刺激观众分泌更多的脑内啡，达成与自己运动差不多high的效果。所以，抬头挺胸，收小腹，得摆个英雄的姿势！

老婆女儿埋怨我："爸爸我们等了好久，你为什么不跑快一点？"我则想起另一位南极探险家沙克尔顿的故事。他在距离南极点看似只剩一步之前，做出了撤退的决定。当时风雪肆虐，补给将尽，他深知每多走一里，便多削弱一分生存的机会。后来当他的妻子问他为何有这么大的勇气与力量回头时，他只说："我想你宁愿要一头活驴，而不想有一只死狮。"

我说，女儿，马克思的女儿燕妮曾请教一位历史学家，您能用最简明的语言，把人类历史浓缩在一本小册子里吗？历史学家只讲了四句德国谚语，其中第四句是："暗透了，更能看见星光。"

现在，你爸累得眼冒金星，像条用过的抹布，且让我暂时摆脱男人的Quan骄傲自尊心坚忍不拔纳西瑟斯结，找家温泉民宿，我们一起淡定地找寻礁溪的星光去。

——原载二〇一二年七月二十二日《联合报》副刊

想念却不能见的人

想在深夜跟你叙述，
叙述我走过的万水千山，
那些温暖或明亮，
疯狂或无奈，
当我辗转失眠需要勇气，
却不曾奢求，你再次的盘桓……

父亲与民国

白先勇 / 文

　　父亲白崇禧将军出生于公元一八九三年桂林六塘山尾村，一个回民家庭。祖父志书公早逝，家道中落，父亲幼年在艰苦的环境中奋发勤学，努力向上，很小年纪，便展露了他过人的毅力与机智。一九〇七年，父亲考入桂林陆军小学，这是他一生事业奠基的起点。父亲生长在一个革命思潮高涨的狂飙时代，大清帝国全面崩溃的前夕。桂林陆军小学正是革命志士集结的中心。一九〇五年孙中山成立同盟会，次年便派黄兴至桂林发展革命组织，陆小总办蔡锷等人鼓吹"推翻满清，建立民国"，父亲深受影响，与同学们纷纷剪去长辫，表示支持。

　　公元一九一一辛亥年，十月十日晚，武昌新军工程营的成员发出了第一枪，武昌起义，展开了辛亥革命的序幕。那一枪改变了中国几千年的帝制历史，亚洲第一个共和国中华民国诞生了。武昌起义那一枪也改变了父亲一生的命运。

　　武昌起义的消息传来，广西人士反应热烈，组军北上支持。父亲参加了陆军小学同学组织的"广西学生军敢死队"，共一百二十人随军北伐。家中祖母知道父亲参加敢死队的消息，便命父亲两位哥哥到桂林城北门去守候，预备拦截父亲，强制回家。谁知父亲暗暗将武器装备托付同学，自己却轻装从西门溜了出去，翻山越岭与大队会合。那年父亲十八岁。踏出桂林西门那一步，他便走出了广西，投身入滚滚洪流的中华民国历史长河中。

学生军敢死队水陆兼程经湖南北上，父亲肩上荷"七九"步枪一支，腰间绑着一百五十发子弹的弹带，背着羊毡、水壶、饭盒、杂囊，身负重载，长途行军，抵达汉阳时，父亲与许多敢死队同学们脚跟早已被草鞋磨破，身上都生了虱子，痒不可当。时清军据守汉口、汉阳，与武昌方面的革命军隔江对峙，广西北伐军和学生敢死队，奉命在汉阳蔡甸到梅花山一带，配合南军作战，威胁敌方侧后。一夜，父亲被派担任步哨，时适大雪纷飞，顷刻间父亲变成了一个雪人。那是父亲第一次上前线，而且参加了一场惊天动地的革命行动，内心热情沸腾，刺骨寒风竟浑然不觉。那是父亲一段刻骨铭心的回忆。亲身参加武昌起义，对父亲具有重大意义。他见证了中华民国的诞生，由此，对民国始终持有一份牢不可破的"革命感情"。

辛亥革命成功后，父亲考入保定军校三期，接受完整的军事教育。父亲在保定前后期的同学，日后在国军中皆任要职。保定毕业，父亲与二十多位同学，自愿分发到新疆屯边，效法张骞、班超，立功异域，他曾经下功夫研究左宗棠治疆的功绩，中国边防一直是他战略思想的要点之一。治疆的抱负后因俄国革命交通阻断，未能实现。民国六年，父亲返回广西，结识李宗仁、黄绍竑，共同从事统一广西的大业，时称"广西三杰"。

民国十五年，北伐军兴，蒋中正总司令力邀父亲出任国民革命军参谋长，这是父亲军事事业第一个要职。当时北洋军阀各据一方，中国四分五裂，其中以孙传芳、吴佩孚势力最大。中国人民经过辛亥革命、五四运动，革命新思潮高涨，对国民革命军有高度期望，革命军遂能以少击众，从广州一路摧枯拉朽打到山海关。那是国军士气最旺盛的时刻。北伐是民国史上头一等大事。

北伐时期，父亲立下大功，重要战役，几乎无役不与，充分展示他战略指挥的军事才能，尤其是民国十六年"龙潭战役"，关系北伐成败。时因"宁汉分裂"，蒋中正下野，国民革命军内部动荡不稳，孙传芳大军反扑，威胁南京，形势险峻。父亲临危受命，指挥蒋中正嫡系第一军，与孙传芳部决战于南京城郊龙潭，经过六昼夜激战，不眠不休，终于将孙军彻底击溃。行政院长谭延闿在南京设宴招待龙潭战役有功将领，特书一联赠予父亲：

指挥能事回天地

学语小儿知姓名

北伐后期，父亲任命东路军前敌总指挥，率领第四集团军，挥戈北上。民国十七年六月一日，父亲领军长驱直入北京，受到北京各界盛大欢迎，成为历史上由华南领兵攻入北京的第一人，天津

《大公报》主笔名记者张季鸾在六月十四日发表社论："广西军队之打到北京，乃中国历史上破天荒之事。"当年太平天国的两广军队只进到天津。父亲时年三十五岁，雄姿英发，登上他戎马生涯的第一座高峰。

父亲继续率部至滦河，收拾张宗昌、褚玉璞残部，东北张学良易帜，最后完成北伐。

北伐期间，广西军屡建奇功，桂系势力高涨，功高震主，蒋中正决意"削藩"。民国十八年，发生"蒋桂战争"，掀起"中原大战"序幕，中国再度分裂。北伐成功，原为国民党统一南北，建设中国最佳良机。北伐甫毕，南京开编遣会议，计划裁军，父亲由北京拍千言长电致国民党中央，请缨率领第四集团军至新疆实边，可惜未受采纳。中央派军攻打广西，父亲等人一度流亡安南。后再潜返广西，展开两广联盟，与中央对峙。期间父亲致力建设广西，不到七年，广西由一个贫穷落后的省份一跃而成为全国"三民主义模范省"。民国十二年，父亲曾在广州晋见孙中山先生，受到极大鼓励。父亲对孙中山创作的《三民主义》、《建国大纲》、《实业计划》中的建国理想及方针心向往之。建设广西，如土地改革、"三自"、"三寓"地方自治等计划，可以说都在实践《三民主义》的精神。胡适等人参观广西，大加赞扬。建设广西，展现了父亲的政治抱负及行政才能。

民国二十六年"七七事变"，地方将领中，父亲第一个飞南京响应蒋中正抗日号召。日本各大报以头条新闻报导"战神莅临南京，中日大战不可避免"，广西与中央对峙因一致对外而暂时化解。

父亲出任军事委员会副总参谋长兼军训部长。对日抗战，父亲的贡献不小。

民国二十七年，军事委员会在行都武汉开"最高军事会议"，父亲提出对日抗战大战略——积小胜为大胜，以空间换时间，以游击战辅助正规战，消耗敌人实力做持久战。日军军备远优于国军，与日军正面作战，难以制胜，淞沪会战，国军伤亡十五万精兵，牺牲惨重。父亲认为应该同时发动敌后游击战术，困扰敌人，不必重视一城一镇的得失，使敌人局限于点线的占领，将敌军拖往内地，拉长其补给线，使其陷滞于中国广大空间，从而由军事战发展为政治战、经济战，向敌发动长期总体战，以求得最后胜利。父亲自承抗日战略思想，是受到俄法战争，俄国人拖垮拿破仑军队策略的启发。父亲的提议得到蒋中正委员长的采纳，并订为抗日战争最高指导原则，对抗战的战略方向，有指标性的作用。父亲有"小诸葛"之称，被誉为中国近代杰出军事战略家。他的抗日战略，显露出他高瞻远瞩的智慧。

抗日期间，父亲奔驰沙场，指挥过诸多著名战役：徐州会战—台儿庄大捷、武汉保卫战、桂南会战——昆仑关之役、长沙第一、二、三次会战等。其中尤其以民国二十七年台儿庄大捷至为关键。

时首都南京陷落，日军屠城，国军节节败退，全国悲观气氛弥漫。台儿庄一役给予日军迎头痛击，被国际媒体称为日军近代史上最惨重的一次败仗。全国人民士气大振，遂奠下八年长期抗战之根基。父亲与李宗仁等将领，登时被全国民众尊为"抗日英雄"。

民国命运，自始多乖，内忧外患，从未停息。抗战刚胜利，国共内战又起，而且不到四年间，国民党失去了大陆政权。国民党在大陆上的失败固然原因多重，然父亲在他的回忆录中却认定军事失利是导致国民政府全面崩溃的主因。战后父亲出任首届国防部长，其后又调任华中剿总司令，虽然身居要职，但职权受限，并未能充分发挥其战略长才。国共战争，国军在战略战术上犯下一连串严重错误，终至一败涂地。

首先父亲极力反对战后贸然裁军，内战正在进行，处置不当，动摇军心。本来国军部队有五百万人，共军只有一百多万。裁军后，大批官兵，尤其游杂部队，这些八年抗战曾为国家卖命的士卒，流离失所，众多倒向共军，共军军力因此大增。裁军计划由参谋总长陈诚主导，父亲的反对意见，未获高层支持。

民国三十五年五、六月第一次东北"四平街会战"，那是国共战后首度对阵，双方精英尽出，蒋中正派父亲往东北督战，旋即国军攻进长春，林彪军队大败，往北急速撤退，孙立人率新一军追过松花江，哈尔滨遥遥在望。在此关键时刻，父亲向蒋中正极谏，自愿留在东北继续指挥，彻底肃清林彪部队。蒋中正由于受到马歇尔调停内战的压力，以及对共军情况的误判，没有相信父亲的建议，竟片面下停战令。林彪部队因此败部复活，整军反攻，最后吞噬整个东北。事后多年，国民党检讨内战失败原因，蒋中正本人以及国军将领咸认为那次片面停战，不仅影响东北战争，而且关系全盘内战。

民国三十七年底、三十八年初之"徐蚌会战"，乃国共最后决胜负的一仗。原本蒋中正属意父亲指挥此次战役。父亲时任华中剿总司令，北伐抗战父亲在淮北平原这一带多次交战，熟悉战略地形。他向蒋提出战略方针"守江必先守淮"，应将军队集结于蚌埠，五省联防，由华中剿总统一指挥。未料临时蒋中正却将指挥权一分为二，华东归刘峙指挥，而指挥中心却设在徐州。徐州四战之地，易攻难守。父亲曾如此警告："指挥权不统一，战事必败。""徐蚌会战"开战前夕，国共两军各六十万，严阵对峙，国府高层深感势态严竣，刘峙不足担当指挥大任，国防部长何应钦、参谋总长顾祝同联名向蒋中正建议，父亲替代刘峙统一指挥。父亲飞抵南京开军事会议，发觉国军战略部署全盘错误，大军分布津浦、陇海铁路两侧，形成"死十字"阵形。父亲判断大战略错误，败局难以挽回，况且开战在即，已无时间重新布置六十万大军。父亲断然做了一项恐怕是他一生中最艰难的决定——拒绝指挥"徐蚌会战"。后"徐蚌会战"国军果然大败，蒋中正下野，李宗仁出任代总统。蒋、白之间，嫌隙又生。

内战末期，林彪百万大军南下，父亲率领二十万部队与共军盘桓周旋，激战数月，但当时大局已濒土崩瓦解，国军士气几近崩溃。父亲军队一路奋勇抵挡，由武汉入湖南，退至广西，与共军战至最后一兵一卒，但孤军终难回天，父亲于民国三十八年十二月三日离开大陆，由南宁飞海口。

父亲十八岁参加辛亥革命武昌起义，见证了民国的诞生。北伐军兴，父亲率部由广州打到山海关，最后完成北伐统一中国。抗日战争，父亲运筹帷幄，决战疆场，抵抗异族入侵，立下汗马功劳。国共内战，父亲率部与共军战至一兵一卒，是与共军战到最后的一支军队。为了保卫民国，父亲奉献了他的一生。

民国三十八年十二月三十日，父亲自海南岛飞台湾。在风雨飘摇之际，父亲选择入台，与中华民国共存亡，用他自己的话，是"向历史交代"。父亲在台十七年，虽然过着平淡日子，但内心是沉重的，大陆沦亡一直是他痛中之痛。他念兹在兹的仍是反攻复国的大业。民国五十五年，离过世前不久，父亲托人携带一封长信给旅居香港昔日同僚广西省主席黄旭初，信中言不及私，通篇都在分析国际大势及国军反攻大陆的可能性。当时越战正打得热火朝天，父亲认为如果越战继续扩大，中共可能出兵，一旦与美军起正面冲突，便是国军反攻良机，父亲并详细列出反攻大陆的战略，荦荦大端。信中最后结尾："弟待罪台湾，十有七年矣！日夜焦思国军何时反攻大陆，解救大陆同胞。现在国际形势已接近反攻时机，届时我总统蒋公，必统三军，挥戈北指，取彼凶残也。"

我曾亲闻父亲吟诵南宋诗人陆游《示儿》诗：

死去元知万事空，

但悲不见九州同。

王师北定中原日，

家祭无忘告乃翁。

我想这也是父亲晚年最后心境的写照吧。

——原载二〇一二年五月一日《联合报》副刊

木心三帖

马家辉 / 文

（一） 各种悲喜交集处

出门前，从书架上抽出《琼美卡随想录》，带着木心去南京。闻说周日在乌镇将有一场追悼会，可惜我于周六便要赶回香港陪大女孩过圣诞，停留不了。而且想象中的木心应该不会渴望更不会稀罕谁去追悼他，但也不会坚决反对，他应是淡然恬然的，年轻时如斯，活到八十四岁了，更必如斯。

他在书里不是感叹过吗？"蒙田，最后还是请神父到床前来，我无法劝阻，相去四百年之遥的憾事。"可见他对生命风格的一致性看得颇重，尤其对生命尽头的操守，更重，所以在淡然恬然的木心的追悼会上如果大家又哭又号又叹又哀，他肯定摇头，不知道应该对朋友们说些什么。

有好长的时间误以为木心是"台湾作家"，因为一直在台湾报纸副刊上读他的文章，那时候，他在中国内地早就坐完牢了，远走美国，不归，不愿归，不愿归，但仍继续写作、画画和思考，文章刊登出来，八十年代，我是台大学生，每回读后都惆怅半天，连面对女朋友都说不出话来。

怎么说呢？木心在报上发表的大多是语录式的短散文，任何一句、两句、三句，是中年的他的个人感悟，却成为年轻的我的思考启发，似懂不懂，若虚还实，足够放在心头咀嚼半天。

是的，咀嚼，木心说过，"快乐是吞咽的，悲哀是咀嚼的；如果咀嚼快乐，会咀嚼出悲哀来"，那时候的我只觉这位英俊的作家很有玩弄字词的本领，唯有当活到某个年纪，才真明白他在说些什么，但到了那个年纪，欲辩已忘言。

是的，英俊，木心之于年轻的我的另一个吸引自是他的俊朗，脸部五官像雕刻出来的石像，笔挺，坚毅，另一个有着如斯脸容的中国作家是民国的邵洵美，美得令人舍不得不看却又不敢注视太久，怕会沉溺。邵洵美也像木心一样写诗，也画画，但前者有妻有情人，后者呢，据说是耽美界的同志，美得只爱属于他的性别的物种。之或所以当木心谈及拜伦之死，意见是死得其所也死得其时，万一他鸡皮鹤发地活到老年，简直破坏西方文学史的美感。依此逻辑，木心其实活得已经够久够长，毕竟八十四岁了，老来又能回到故乡看山看水，老去，逝去，告别中国文学史，依然能够为中国文学史留下美感，已经是很大很大的功绩与奇迹。

别了，木心，他写过，"如欲相见，我在各种悲喜交集处"。那就让我们去该地寻他，一定寻找得到，因为，谁都有悲喜交集，谁都逃不脱这生命的宿命。

（二）不知道如何是好

在南京的演讲活动结束后，好些本来飞回北京的朋友都改变了计划，改往乌镇，出席木心先生的追悼会。他们问我去不去，我说香港有事，没法去，其实是在心里坚持那个想法，木心应该不会高兴朋友为他追悼些什么的，别打扰他了，虽然他已离开人间。

但又或者木心先生也不会反对朋友为他追悼，他是淡然得无所谓，自己的离世，朋友的哀伤，反正人间无秩序，自己喜欢怎样就怎样。

木心不是在《很好》文内写过吗？"昨天我和她坐在街头的喷泉边，五月的天气已很热了，刚买来的一袋樱桃也不好吃，我们抽着烟，'应该少抽烟才对。'满街的人来来往往，她信口叹问：'生命是什么呵？'我脱口答道：'生命是时时刻刻不知道如何是好。'"

既然不知道如何是好，那便做什么都好也或都不好。你想就去做吧，做什么都可以，只要自在如意。

木心眼中的"如意"是这样的："集中于一个目的，做种种快乐的变化。或说，许多种变化着的快乐都集中在一个目的上了。"

木心如此定义快乐："迎面一阵大风，灰沙吹进了西泽的眼皮和乞丐的眼皮。如果乞丐的眼皮里的灰沙先溶化，或先由泪水带出，他便清爽地看那西泽苦恼地揉眼皮，拭泪水。之前，之后，且不算，单算此一刻，乞丐比西泽如意。世上多的是比西泽不足比乞丐有余的人，在眼皮里没有灰沙的时日中，零零碎碎的如意总是有的，然而难以构成快乐。"

读木心文章，感受到强烈的"境界"二字。他仿佛站在一个位子，察看我们，而这个"我们"，理所当然地包括他自己。偶开天眼，红尘里，他亦是可怜的眼中人。

所以木心也曾说："不幸中之幸中之不幸中之幸中之……谁能置身于这个规律之外。理既得，心随安，请坐，看戏（看自己的戏）。"

一位看戏的人走了，他从别人的戏里看出自己的戏，也从自己的戏里映照别人的戏，用文字记录下来，幕闭了，幸好仍有文字，给我们留下了许多说说唱唱的痕。木心写过一篇《不绝》，开首道："一个半世纪彩声不绝，是为了一位法国智者说出一句很通俗的话：人格即风格。十八、十九世纪还是这样的真诚良善。"由是他抒发了一些关乎现代的感慨。

是的，除了境界，就是格。有格，木心告别中国，中国告别木心的格。

（三）哪有你，这样你

南京气温是零下三度，对我这南人来说，已是致命之寒，出门必须穿上男装丝裤。嗯，对了，南京之于北京，亦是"江南"，但彼"南"终究属于我们的"北"，至少在咱们香港，没有"零下"这个可怕的概念。

于是穿上丝裤的我这南人便很容易摆乌龙。好几次了，换装准备离开酒店房间，穿上大衣，伸手开门，无意间低头一看，始发现原来忘记穿外裤。假如没有这个"无意间"，往搭电梯，电梯门打开，站在里面的人恐必笑得弯腰流泪。

尴尬之事常有，有时候并非发生在自己身上，但作为旁观者，我也尴尬得不知道如何是好。像有一回，在男厕遇见其他部门的同事，站着聊了两分钟，离开时忽然看见他的裤裆湿了一大片，极明显，很可能是尿尿时不小心，或是洗手时被水龙头喷到而不自知，总之，难看，回到办公室时肯定惹笑。

于是我便非常挣扎，不知道是否应该提醒他。想说，但说不出口，不希望看他在我眼前显现窘态；不提醒，又好像眼睁睁看着他稍后出丑，等于看见别人快堕进陷阱而不阻拦。

结果我是保持沉默。自我安慰，说不定他直接回到房间，不会遇见任何人，何苦要我把糗事揭穿。我向来是个短视的人，只顾眼前一刻的快乐如意，日后的愁，管他的，日后再说了。

所以我很容易感动于一些好心地的人，自己做不到，唯有羡慕的份儿。

像在办公室看见男同事的西装肩上满布头皮，我通常懒得提醒，但当看见有其他同事提醒他，我便忍不住在心里暗道，呀，这是一个好人，我们的办公室毕竟有好人。

然而说到底，我对好人的欣赏感动依然远低于我对诗人的崇拜仰慕，如这两天说了又说的木心先生。他的诗，他的情诗，令人根本忘记了什么是好什么是坏，在文字面前，好坏让路，最重要的是时间能够凝固于美丽的瞬间。像他说：

十五年前／阴凉的晨／恍恍惚惚／清晰的诀别／每夜，梦中的你／梦中是你／与枕俱醒／觉得不是你／另一些人／扮演你入我梦中／哪有你，你这样好／哪有你这样你

因为木心去世的缘故，因为圣诞新年交替的缘故，我重读了《我纷纷的情欲》书里的一些诗，在旅途中，读得恍恍惚惚，在飞机上，缓缓睡去。醒来时香港已在脚下，你在家里，我或许也在你的梦里。

——原载二〇一二年一月二日《中国时报》人间副刊

想念却不能见的人 | 123

罗兰的笑谈

唐润钿／文

文友晓晖与我相约去探望九十三岁的文坛前辈罗兰。她现在深居简出，不再参与文艺界的一切活动，我们若不去登门造访就看不到她。但我们都很想看看睽违很久的她。

晓晖与我二人依约前往，可是罗兰年岁大了，记性不好忘了这回事，仍然睡到十一时半我到达时，她还没起床。外劳阿D要去叫她起来，我说现在不要叫，等另一位朋友来了再叫。于是阿D给我泡了茶，我就跟阿D聊天。

从阿D那儿得知罗兰晚上睡眠不好，记性不好，刚说过五分钟就忘记，但是食量正常，很健康，不生病。阿D边说边打哈欠，有点劳累状，我感觉阿D的睡眠不足，建议她该把握住时间多睡，我说："很抱歉，你累了，因为今天我们要来，害你不能睡。"阿D说："我不知道有客人要来，太太没有说，我什么都没准备。"我说我带了吃的东西，于是从提袋里拿了出来，让阿D放到厨房。

接着晓晖带着外劳阿海一起来到，阿D就去叫罗兰起来。晓晖要外劳阿海把她带来的卤牛肉、泡菜和炒米粉拿出来。

阿D推着坐在轮椅上的罗兰出来了，罗兰微笑着向我们打招呼，并叫阿D去泡茶，而后她连声说："抱歉，抱歉！害你们久等！"于是我们都说："刚到一会儿。"而后异口同声地说："罗兰姐，你现在比夏天我们来看你时更有精神，脸色好像也红润些。"她笑着说："是啊！我是胖了一点。我现在就饿了，早上一起来就想吃！"所以晓晖叫阿海到厨房去帮忙阿D弄罗兰的早餐，以及我们的午餐！

两个年轻外劳（一是印度尼西亚人，一是越南人）在厨房里边工作边说话，她们之间的共同语言，是普通话，她们有说有笑，一副很开心的样子。

我们三人坐在客厅里听到她们的笑声，也分享到年轻人的喜悦。边喝茶边聊天，我们为彼此都各有老年人的通病，却仍能健康相聚而高兴着，还不停地讲着往事乐事。而且还说我们经过那么多的人生苦难，但是都没被击倒，为此庆幸。

而罗兰有点感伤地说："可是我就是被'老'击倒，坐上了轮椅！"

我赶紧说："但是你很健康，没有大毛病！"

晓晖突然举起她的左手，伸着小拇指，说："上个月我在家不小心摔了一跤，幸亏阿海在旁扶我起来，我感觉手痛，后来看医生，照了X光片，小手指骨裂，现在已经治好了。"

我接着说以前独居在家跌断右髋骨的苦痛。

此时阿D已经把餐桌布置好，准备要吃饭了，于是中止了话题。

在餐桌上继续谈着各人的老毛病与新病痛，我们都对医生有着十二万分的敬意。罗兰也谈到她的骨科医生郑医师，是一件非常有趣的巧合笑谈！

那是二十多年前的事。罗兰参加一场音乐会，坐朋友的车同去，她最后一个上车，车门还没有关好，而车已启动，于是她被摔出车外，进医院检查，髋骨骨折，由骨科名医郑俊达动了手术。一切顺利，她出院后，没有太大的痛苦和后遗症，只需复诊数次，所以她很感佩郑医师。

郑医师也仰慕罗兰的文名，名医与病人名作家罗兰后来竟也成了朋友。有一次她要去医院挂号复诊，郑医师却说不用到医院看，他到她家里来看她。罗兰于是在家恭候。当郑医师来到，他说很累，想先休息一下，过了一会儿，罗兰觉得他该为她看病了，发现医生竟睡着了！

当时罗兰一定很惊讶，因为她边说边笑时的表情令人印象深刻！引得我们也都哈哈大笑。最后得到一个结论："他一定疲劳过度！医生真辛苦，尤其是名医！"

我们一边笑谈一边吃，刚才阿D说罗兰记性不好。可是她竟能把二十年前的往事，说得头头是道，这怎能说她的记性不好呢？罗兰吃了几口，又开心地说了些别的，我们也都听得笑起来，我问："郑医师现在还在医院看病吗？"罗兰说不知道，已很久没联络。

去年我患了右耳背后脖子疼痛的怪病，以为是得了不治之症，后来做了头部扫瞄，得知病在中耳，等到看专科医生，治愈时，已经痛了一个半月。我为此写了一篇以"痛"为主题的短篇小说，述说痛苦的人生仿佛生活在炼狱之中！所幸由于圣神的指引，后来看对了医生，才得以痊愈。罗兰听后回归到她的笑谈，说："人生并不是很圆满，可能都有些缺憾，但不一定是炼狱吧？我们以后见面，大家都要讲一个笑话，或一件有趣的事！"

我们虽一致同意，但因各有病痛，多久可以见一次面，不可能预先做一定论，每两个月，或个把月！最后晓晖建议："罗兰姐，你想到好笑、有趣的事要告诉我们，先请写下来，或者你就打电话给我们二人中的任何一位。我们相约了就一起来，好让大家有个快乐相聚谈笑的机会！"和罗兰说再见时，心里想着的是还在播《安全岛》节目时的罗兰，那时晓晖和我也多么年轻啊！

——原载二〇一二年一月三十日《中华日报》副刊

台湾早就遗忘了我的朋友胡适之

二月二十四日，胡适过世五十周年当天上午，台北阴雨绵绵，二十多位以中研院近史所为主的学者，在南港胡适墓园举行了一场简单的致意仪式。在向胡适铜像鞠躬的那些人当中，还有几位专程赶来向他致敬的大陆民众。

一九六二年三月二日，胡适出殡当天，沿途有三十多万人夹道替他送行，其中有达官政要、学界名流，也有更多跟他素昧平生的平民百姓。据说，胡适遗孀江冬秀目睹这样的场面时，曾对她的儿子胡祖望很感慨地说："做人做到你爸爸这样，不容易哟！"

但"我的朋友胡适之"这半个世纪在台湾，却早已变成了一个被遗忘的名字，胡适墓园长年冷清寂寥不见人影，偶尔有人到墓园一访，其中多数又都是来自大陆的"胡迷"，有学者像季羡林，有作家像叶永烈，也有官员像文化部长蔡武等人，他们都曾站在胡适墓前，看过杨英风雕塑的那尊铜像上"典型的'我的朋友'式的笑容"，也读过毛子水写的那篇短短墓志铭。

其实，大陆不但有不计其数的"胡迷"，专门研究胡适的"胡学"也几乎变成了中国学术界的显学。出版社成百上千地陆续重印

128 | 珍重待春风

他的旧著，许多书店甚至设有胡适专柜，学界也出版像《胡适研究丛刊》这类的期刊；从他百岁冥诞（一九九一年）后，每年都有以他为名而召开的学术研讨会，一套四十四册总字数两千多万的《胡适全集》也在二〇〇三年出版，胡适俨然已成为大陆的名人。

但这位今之名人却曾经是昔之毒草。胡适曾列名共产党的百大战犯之一，毛泽东在五〇年代亲自点火批胡后，一场铺天盖地延续了近四十年的批胡运动席卷大江南北，胡适的老友、学生甚至他的儿子，都加入了批胡讨胡的行列。这场运动的总结是，一套由郭沫若总其成，八大册共三百多万字的《胡适思想批判》文集的出版，其中尽是大陆知识界集体讨伐胡适的战斗檄文。

这些讨胡檄文中对胡适的评价极尽恶毒之能事，形容他是"卖国贼蒋介石的匪帮"、"美帝国主义豢养的走狗"、"马列主义凶恶的敌人"等等。毛泽东批胡的目的，就是要"清除知识界脑子里残存的胡适思想余毒"，这棵大毒草如果不连根拔除，"资产阶级错误思想"就永远不会从地球上消失。一九六二年胡适在台北过世时，大陆报刊杂志无一字报导此事，好像这个曾经在北大领导风潮的一代学者，从来不曾在中国大陆存在过一样。

但讽刺的是，胡适虽在大陆从毒草变成了名人，但在台湾他却是从名人变成了无人闻问的古人。他的葬礼虽备极哀荣，他的身后却备极寂寞，台湾近半世纪来研究或书写胡适的人，始终是李敖、唐德刚、余英时与张忠栋等少数几个人，有关他的书不但出版的种类不多，类似《胡适日记》这类大部头的书，买的人更少；中研院虽将出版《胡适与蒋介石史料集》与《胡适政论文集》，但想必在出版后有兴趣的人仍以大陆"胡迷"居多；"胡学"在台湾不成其学，"胡迷"更是寥寥无几。

胡适这几年之所以红遍中国，其中虽有"民国热"的因素，但有更多人是为了借胡、借古来达到寓今、讽今的目的，也有人是怀抱着托胡、托古来呼吁改制、改革的用心。但相对于大陆的"胡适热"，台湾近半世纪的"胡适冷"却冷到早已把胡适彻底遗忘，彻底到连大学生都不知胡适是谁，不解胡适是怎样的一个人，更遑论要他们评价胡适对学术与政治到底有过什么样的影响力。

一九九九年，季羡林来台湾后写了一篇文章《站在胡适之先生墓前》，其中有段话是这样写的："我站在那里，蓦抬头，适之先生那有魅力的、典型的'我的朋友'式的笑容，突然显现在眼前，五十年依稀缩为一刹那，历史仿佛没有移动，但是，一定神儿，忽然想到自己的年龄，历史毕竟是动了。"

中国大陆的"胡迷"觉得历史动了，但台湾对胡适的记忆却停了，停在五十年前他离开的那一天。

——原载二〇一二年三月一日《中国时报》时论广场

马华文学无风带

黄锦树 / 文

> 物种类别以及与这些类别相联系的神话，也能用来组织空间的知识，于是分类系统被扩充到土地和地理的方面……当图腾名称可适用于家畜时，它有时也超出了不只是社会学意义上的，同时也是生物学意义上的人类界限。
>
> ——《野性的思维》

我手头这本《野性的思维》扉页有注明"一九九〇年三月五日台北"，那些年书买不多，故还有闲情注日期。关于一九九〇，"治洪诗人"陈大为写过一篇《大马旅台文学一九九〇》，谈"大马青年社"，谈他"前治洪期"的准备功夫（狂读三百本台湾现代诗及散文），也连带提到我们。文中四度提到我的名字（文章共四页，刚好每页提到一次），前两次比较有意思，可以抄下来换几个铜板：

> 虽然我念的是中文系，但马华文学在我的脑里是不存在的，生平第一部马华（纯）文学作品集，是黄锦树

一九八八年十二月送我的《龙哭千里》，当时我根本弄不清楚温瑞安和神州是什么东西。

　　印象中除了黄锦树，似乎没有人阅读或谈论马华文学。大陆新时期文学引进来的很有限，我们真正承接、吸收的是台湾现代文学。

那是台湾政治解严的第二年。送书一事，我真的不记得了。大为晚我两年来台，一九八八年十二月应该是他来台的第一个学期。他其实是局外人，不在我们的"故事"里。

　　那些年，我在台北各家旧书摊，逐渐地把那"是什么东西"的出版品几乎搜齐了，且酝酿写作那篇一九九一年宣读、一九九二年刊于《大马青年》第八期的神州论文。而那批书，多年前也借了人，在等待归还中。

　　一九八九年，在台大学生期刊《新潮》第四十八期上发表《夹缝中的小草——马华文学的困境》，谈的是宛如处于赤道无风道、看不到前景的马华文学。同年，和当时念台大医学的高中同学T等主编《大马青年》第七期，该期也刊出我们旅台文学奖的得奖习作。组织松散、附属于大马旅台同学会的大马青年社，在我们的年代，仍延续了前行代学长罗正文、陈亚才等对大马国是及旅台人处境的关切。大概从我们接手开始，即有计划地整理大马青年在台湾的文学足迹。我在《大马青年》第七期的《编辑室报告》里即指出要做旅台文学史料的收集，因为"旅台文学史将会在马华文学史中占有一个非常重要的位置，而没有史料就无所谓历史"。该期即做了不少数据汇集的工作，且范围不限于文学。

一九八九年，大学四年级，深深受困于前途茫茫之感，不知何去何从。

那年四月，一行五人走访隐居宜兰罗东的小说家草原王子。其时他未婚，长得像秦祥林最俊俏的时候。访谈之余，我们好奇地要求看看他的蛰居处。郊外稻田间的老旧农舍平房，昏暗潮湿，看来闲置已久。房角窗下一张墨色原木小书桌，桌上没有书也没有纸笔，收拾得干干净净。窗外即是稻田，秧苗翠绿，一方一方的，远方云气蒸腾。屋内大红眠床，米白纹帐半掩。

离去时细雨霏霏，他好似有点忧伤有点忧郁，陪着我们沿着湿滑的田小心翼翼地一步步向前走着。

多年以后方依稀知悉，那是他女友娘家的闲置老房子。大学毕业八年了，只想写作、一直不想投入职场、刚完成两部长篇小说的他，三十三岁了，人生面临重大的抉择。大概是交往多年的女友和他摊牌，抛下他远赴异国旅行去了，旧的路已走到尽头。难怪访谈中他会突然幽幽地说："完成这两部长篇，就算死也无憾了。"半真半假地说他喜欢日本文学、三岛、芥川、川端，对樱花美学甚有感触似的，自语："三十五岁是人生一大关口。"

原来他即将结束多年的单身隐居慢活生涯，生活的担子将呼啸而来。毕竟在这岛上，要靠写作维持一个家，是不可能的事，虽然他也说，"回到马来西亚，可能我连一本书都完成不了。"

为了解星座诗社还访问时在师大任教的T教授，看到许多连彼时的旧书摊都绝迹的星座诗刊，及他们出版的诗集，和学弟P共同整理了《被遗忘的星座》、《专访T教授》。身为留台第一代的诗人学者，T教授后来可是"治洪诗人"的恩师呢，对他有着深远的影响。

那一九九〇年呢？

延毕的一年，别无退路，只有考研究所。大部分中文系保守得发霉，历史系也差不了多少。考虑过改念政治学、经济学、人类学，到处去听课。常借机车到政大，台大法学院旁听，均无疾而终。唯一的收获是，对其他人文学科的知识不至太陌生。

经济陷入困境，在台中干苦差事的小哥哥不定期少量接济。

乱投稿赚点生活费，寒暑假到台中打工，砍草挖泥种花植树。一度借住大坑山区一处破洋楼，或者国光路旁中兴大学的老旧宿舍（老教授过世后子女移民美国，占而不用，需人管理）。小哥人缘好，是个阳光男孩，深受老教授的喜爱，总是借得到地方住。而今他可是马六甲的龙珠果大亨呢。

那年发表了简略的《"旅台特区"的意义探究》、《"马华文学"全称之商榷》，前者是"旅台文学史"的一个尝试，而后者则是"重写马华文学史"的一个试探了。大概也都是前一年在大坑山区洋楼附近一处工寮写的。那地方傍晚时，蚊子像蜜蜂那样大只，被咬几口你就只好贫血了。工寮附近有座小树林，里头也有间小工寮，有一条水流清澈的小溪。

有一回散步，碰见一位鼠鹿般惊惶的女子，看来曾经慧黠秀丽。小哥说，听说她自从一次联考考坏之后就不知道自己是谁了。

但看来比较像是毁于一场曾经异常狂热的恋情，偶尔理智清明的时刻，还会默默心痛流泪的吧。

我想，她在为自己的爱情守丧，以失去自己为代价，守护着爱情的灰烬、余温。她的头发并没有明显的散乱，衣服看起来也干净，显然还没有全然地自暴自弃。神态像七等生小说里的人物，一个隐遁者，或许也是个窥视者。

> 故事中的英雄很穷，他唯一的财产是一粒麦子，他用欺诈的手段以那粒麦子换到一只公鸡，再换到一头猪，然后是一条牛，后来又换到一具死尸。最后他用那具死尸换到一位活公主。
>
> ——《忧郁的热带》

一九九〇年上半年尤其有急迫性，六月就要毕业，没考上研究所的话，只好回乡教书或割胶了。女友说："教书？你这种烂脾气！"所以后者的可能大些。"念完大学回乡割胶？你妈受得了？你爸受得了？你那些哥哥姐姐……"

三月买的《野性的思维》，有心情看吗？四月或五月就要考研究所了。

三年后写硕论时，指导教授放牛吃草，这本书倒帮上大忙。

一九九〇年一月十六日，比《野性的思维》早了一个半月，买了手边这本联经版《忧郁的热带》。这部"散文杰作"迄今仍是我最喜欢的书之一。

但注记说是送给那时的女友现在的妻的，写着她的名字。

时在秋冬之交，寒假时许是大致读了一遍吧。

两本书均初版于一九八九年五月，订价加起来共七百元。即使打八折，也要占去好多餐的钱。

《忧郁的热带》扉页另有铅笔注记："九十九年十一月二十日重读毕（包括九年前跳过去的章节）于龙潭。"那是九二一地震那年了，时任校长的励志作家李博士英明果断地带领全校师生北上逃跑，借台大旧教室上课，意图博取社会同情。

在友人协助下，有幸借住于龙潭大说谎家的隔壁，一间荒废的、没有家具的小房子，睡在塑料垫板上。那年冬天非常冷，而龙潭风又急又紧，每每一张口，风就灌进肺里去了，凉到心底。

两栋房子间砌了座及颈的矮墙，因而常看到他在前方院子里抽烟，会寒暄式地隔墙聊上几句。

比我长十岁的小说家新婚不久，长子还在地上爬。而我儿子一岁多了，每回大摇大摆在他家地板上前前后后来回兜圈子踱步，他看了露出无限羡慕的表情："他妈的，这小子踱得像个小王子似的。"

而之前一年，我刀光剑影的论文让如日中天的他勃然大怒。他且爱炫耀读了多少公斤的书。爱以斤论者，大概会喜欢精装百科全书，甚于薄薄的诗集吧。有时天初黑，会看到袁哲生夫妇到隔壁探访他们以师礼事之的前辈作家。我们会遥遥挥个手，多年前还一起修过课呢。

骆肥一家也会不定期地来看他们的老师，欢欢喜喜地，天南地北地聊。那小房子里日照佳、空气流通，很容易让人放松下来。后院的姑婆芋长得像雨林里的魔芋，盾状大叶子几片就把空间给塞满了。颇宜于隐居读书写作，未来也会是座雅致的纪念馆吧。

那么重的《忧郁的热带》，干吗辛苦带着？唯一的解释是，不知道会遇到地震，开了哪门愚蠢的课指定阅读这本书。

那年，多次无照驾驶破车走高速公路飞奔往返埔里租居处取书。

　　我们渐渐接近赤道无风带，以前的航海者极度恐惧的赤道无风带。在这片海域内，两个半球特有的风都吹不到，所有的帆下垂好几个星期之久，没有一丝风吹动它们。空气停滞，使人觉得是被关闭在一个封闭的空间里面，而非置身大海。深色的云朵，没有风去扰乱其平衡，只受到地心引力的影响，慢慢地解体往海上掉落。

　　　　　　　　　　　　　　　　　——《忧郁的热带》

　　四年春，齐侯以诸侯之师侵蔡。蔡溃，遂伐楚。楚子使与师言曰："君处北海，寡人处南海，唯是风马牛不相及也。不虞君之涉吾地也，何故？"

　　　　　　　　　　　　　　　　　——《左传·僖公四年》

大学那几年，确实如身处忧郁的热带。台大附近在盖捷运，工厂似的喧闹，到处在挖洞。一长列的铁皮墙挡尽了风，天天沙尘漫天。

尤其是夏天，懊热难耐。每片树叶都不动。无风。

大部分老师显得疲乏而冷漠，在他们眼中，我们都是一些废材朽木吧。同学疏离，台大呢，每个人高中时都是班上的尖子，谁也瞧不起谁。

全班第一名的女生巧笑倩兮，唇红齿白，衣着总是得体合宜，像个小公主似的。她总是直挺挺地坐在第一排，专心地抄笔记，时不时与老师含笑对视，乖巧地点点头。

侨生总是被认定是来占本地生位子、来抢资源的，且课业往往垫底。念错音，写错字了都不自知。讲话怪腔怪调。衣衫褴褛。脏兮兮的，像刚从臭水沟爬上来。

那且是学运世代最壮丽的年代。

一九九〇年三月，野百合运动，六千学生集结中正纪念堂静坐，提出解散国民大会、废除临时条款、召开国是会议……次年，李登辉政府废除《动员戡乱时期临时条款》，并结束"万年国会"的运作，民国—台湾一转而为台湾—民国。侨教政策，那不正是万年国会的转喻吗？

没穿袜子，脚套破布鞋，褪色上衣，短裤，胡子杂乱，脸上青春痘东西南北长。

或上课吃早餐被山东老太太痛斥。《左传》课，她老人家静静地发考卷，直至最后，突然尖叫道："黄××你写那些是什么字，都写成一团，下回再这样就把你当掉！"

或姗姗来迟。念着杨牧或余光中的句子，突然停下来，脸长长的现代散文老师高声叫道："×××，你不要每次迟到了还大摇大摆走进来。"其实我是蹑手蹑脚地从后门溜进去。期末成绩六十八分，坦白说，他的散文课讲解得还满用心的。

上课不专心，老师一转身就翻过窗出去踢足球找女友或猛灌冷水或到对街书店翻书吹冷气。那时那里还没有诚品，只有联经和远景门市。前者也就是那两部书的出版处。

那几年反侨生、反侨教是社会运动的重要要求之一。一股民族主义的大洪水席卷而来，"外省人"被发明。而这一切何其熟悉。本省人在自我土著化。

侨生，准外省人，比外省人更外部、更非本土的存在，民国的毒瘤之一。"没纳税，没服役，享用国家教育资源，抢夺就业机会……"立委大人说。

知道不受欢迎，正当性被质疑，我们也在《大马青年》第八期里做了个"侨教专辑"，撰文针对个中诸多弊端，做了深切而悲伤的自我反省。

到哪里都不受欢迎。看不到路在哪里。

鲁迅的那句脍炙人口的话其实太轻巧了。很多没人走的路都是兽径，乱草间纵使没有老虎也会有捕兽夹。不是伤了心，就是伤了脚。

我想我不是台大中文系的理想学生，一如不是某些书的理想读者。格格不入，但似乎也只能那样。所以几年前台大中文系为

"我的大学梦"征文，我只能回以："仔细想想，我大学时确实无梦。"

日头雨，玻璃山，

野半岛，乌暗暝。

马纬度，赤天谣，

马华文学……

无风带？

——原载二〇一二年六月六日《联合报》副刊

朱介凡先生二三事

谢武彰 / 文

二〇一一年十月一日，对儿童文学来说，真是令人伤心的一天。

这一天，插画家洪义男先生辞世的消息，像悄悄掩来的暮色。朋友纷纷走告，大家惋惜不已。这一件事渐渐尘埃落定以后，接着《文讯》月刊披露了朱介凡先生同样在十月一日辞世，享寿一百岁。

朱介凡先生默默走了，儿童文学圈似乎没有人发觉，也没有引起什么反应。一个百岁人瑞，一个古典儿歌的搜集与研究的行家，就这样随风而逝，真是令人唏嘘。古典儿歌的搜集与研究，不仅从此失去一大家，恐怕也将成为绝响。

约在一九八〇年，由于笔者着手编辑一套古典儿歌选集，部分作品需要引用朱介凡先生的大作《中国儿歌》。几经商量以后，得到纯文学出版社林海音先生的协助，才有机会认识朱介凡先生。

经过事先约定，我准时到朱先生府上拜访他，他不但首肯，更写了一篇序文相赠。一个行家、一个学徒，就这样有了连结。

依稀记得朱家摆设朴实，墙上挂着张佛千先生赠的对联。朱介凡先生当时约七十岁，身材瘦高、思绪敏锐、行动敏捷、鹤发童颜、待人和气。虽然是初相识，他不弃我的浅薄，还是客气相待。

这是我第一次看到朱介凡先生。

后来，儿歌选顺利出版了，我把新书送到他府上表示感谢。他说了一些鼓励的话，我就离开了。

这是我最后一次看到朱介凡先生。

从此以后，我的重心放在儿歌创作。但是，他编著的《中国儿歌》，依然是很好的参考书，我从中得到许多启发。

时间过得飞快，林海音先生的纯文学出版社因故忍痛结束营业。她结束营业的身影非常漂亮，足称典范。原来，林先生不但把版权全部归还给作者，还将库存的书全都赠送给原作者。如此大器，真是凤毛麟角，所以，大家见到她必尊称一声"林先生"，并不是没有原因的。

故事，好像就到此为止了，其实，还没有。

有一天，儿童文学学会收到朱介凡先生赠送的十本《中国儿歌》。原来，朱介凡先生扩大了林海音先生的善意，他把《中国儿歌》又转赠给各公益团体。

林海音先生的善意，像蝴蝶效应，涟漪般地扩散了。

朱介凡先生的善意，也像蝴蝶效应，涟漪般地扩散了。

我是到学会洽公的时候看到这些赠书的。于是，就商得会务人员的同意，购得了其中的大部分。因为，我有预感这本书很可能会成为绝响。我并不是要囤积居奇、待价而沽，而是想把它送给需要的人。

果然，有一回，一位大陆知名的儿童文学教授，到台湾来参访。由于大家是旧识，所以我以简餐相迎远来的同好。相谈中，他说在台北的书局翻找了几天，都没有找到《中国儿歌》。我听了微微一笑，说："我有这本书，我送你一本。"

　　他听了，既惊讶又高兴。几天以后，他带着这本绝版书回大陆。这些原来流传在大陆的儿歌，又回到发源地了。

　　后来，我见贤思齐，希望林海音和朱介凡先生的善意，能像蝴蝶效应，像涟漪般继续扩散。原来的几本书，只留下一本，其余的全都送给需要的同好了。

　　故事，好像就到此为止了，其实，还没有。

　　后来，偶然在电视频道上看到一位文坛大家，谈到自己被关进某单位监牢时，由于得到朱介凡先生暗中周全，才没有进一步吃苦头。其实，他和朱先生根本是不认识的。

　　故事，好像就到此为止了，其实，还没有。

　　后来，偶然听到客籍朋友谈起，某客籍文学家也是由于朱介凡先生暗中周全，才能免于一场磨难。其实，他和朱先生根本是不认识的。

　　由这两个例子看来，这很可能不是个案，而是通例了。朱介凡先生任职的时候，他的心里应该有一张"辛德勒的名单"。有多人不知道，自己被一个陌生人暗中出手搭救了。至于他帮助过多少人，虽然已经不可考了，但却是人间少见的。朱介凡先生在职位上，不利用"主场优势"，不下黑手，而是暗中帮助陌生人，是非常了不起的。尤其是，在当时的氛围下。

虽然笔者和朱介凡先生的来往极少，但是却始终记得他的身影。所以，在他辞世周年冒昧写下他的事迹，让读者来认识。

二〇一一年十月一日，是古典儿歌难以弥补的日子。

一年很快过去了，但愿——

二〇一二年十月一日，我们还记得这些事。

朱介凡先生，辞世了。

《中国儿歌》，绝响了。

一个时代，也过去了。

——原载二〇一二年十月一日《人间福报》副刊

含泪读诗怀钟老

向明／文

百龄诗人钟鼎文老师，已完成他一生对国家的最大贡献，以及对台湾新诗的无私呵护，于8月12日下午4时53分安详辞世了。作为一个追随他的诗的徒众，我的内心有着极大的不舍和无尽的悲伤。

钟老师一生历经政界、新闻界及诗文学，所立事功无数。其中一件，一般人难以知悉其对国家尊严的维护有多大重要性：钟老师于一九七三年与菲律宾资深诗人尤松召开第一届诗人大会，并被推举为会长，后又共同创办世界艺术与文化学院，作为世界诗人大会营运中心，由他担任院长。这是钟老师的骄傲，更是国家的骄傲。

钟老师于1930年即以"番草"笔名发表新诗，短诗《塔上》，甫一发表即被认为是他成功的代表作：

> 我登临在塔上——
> 在塔影的下面
> 是无边的屋瓦
> 在瓦浪的下面

是无数的人家

在那些人家里
许会有小小的院落
在那些院落里
许会有各样的花

那些花寂寞地开着
又寂寞地落下

　　《塔上》这首诗无疑是一首朴素、淡妆诗的代表作，烘托出一片宁静无争的祥和境界，使人想起柳宗元的《江雪》、马致远的《天净沙》，以及卞之琳的《距离的组织》。

　　钟老师在临离别这个世界之前，也留下了一首令人感动万分的诗《留言》：

让我将我不朽的爱，留给世界，
将我难忘的恨，带进坟墓。

一片浮云飘过大海，是我的生命，
一阵微风吹过花丛，是我的感情。

我祈祷的手将变作树，伸向穹苍，

我含泪的眼将变作星，俯瞰大地。

亲爱的母亲，亲爱的故乡，我太倦困了，
让我回到你们的怀抱里，久久地安息吧！

钟老师在弥留之际还不忘将"爱""怀抱"，作乏困后的长眠。他的这一最后的愿望，相信公平的上苍肯定是会赐予的。钟老师安息吧！

——原载二〇一二年八月二十三日《联合报》副刊

文学传播的掌舵者

向阳 /文

（一）

前不久因为担任梁实秋文学奖决审，到九歌出版社开评审会议，一进会议室，就看到久未见面的小说家蔡文甫先生。算来将近米寿的他，脸色红润、精神抖擞，身体相当健朗。评审会议开始，他以九歌文教基金会创办人的身份，欢迎并感谢评审委员的协助。他的乡音浓厚，那是我年轻时要费一番工夫才听得懂的，也是后来因为相熟而感到亲切的口音。他推动文学传播的热诚也一直未改，以九歌出版社作为基础，策划出版《中华现代文学大系》，开设九歌文学书屋，成立九歌文教基金会，举办儿童文学奖、小说写作班、文学研讨会，又承办梁实秋文学奖……无一不与当代台湾文学的推广、教育有关，加上他曾前后耕耘中华副刊长达二十一年，说他是当代台湾文学传播的掌舵者，应不为过。

我与蔡文甫先生年龄相距二十九岁，是文坛晚辈，但由于我年轻时主编自立副刊，与他时有往来，也有同行的关系。一九八〇年代的台湾报纸副刊，以中国时报人间副刊、联合报联合副刊为龙首，中央副刊、中华副刊是两大党营报纸副刊，紧追两报副刊之后；自立晚报无党无派经营，且还是台北三家晚报中的小报，才轮得到我这样的年轻作家主编副刊。当时的台北有副刊主编联谊会，各报主编相聚，交流、联谊，我与文甫先生的相识，是在这个联谊会中开始的。

见到久违的文甫先生，自是高兴，我请求文甫先生和我在会议室合影。当天我就把照片放到脸书之上，两天内就有超过四百五十多位脸书之友按"赞"，看得出来文甫先生虽久未创作，仍受到众多读者的尊敬。这当然也和他创办的九歌出版社三十多年来持续以继，执著于文学出版，获得读者肯定有关。

（二）

我最初认识蔡文甫先生，是在大学年代。当时他是中华副刊主编，我才刚开始诗与散文的创作，多半的诗作投给没有稿费的诗刊。其后联合副刊主编马各请回国讲学的诗人杨牧选诗，杨牧特重大学校园诗人的诗作，我的诗稿在联副、人间、华副都常被刊出。大约是我大四时，在一个副刊作者与编者的交流场合见到了文甫先生，有短暂的交谈，留下的印象是，他是一个不摆架子、有仁厚长者之风的主编。

一九七八年三月，文甫先生创办了九歌出版社，专出文学书。当时正是文学出版社鼎盛时期，林海音创设的纯文学、姚宜瑛创办的大地、隐地创办的尔雅，以及叶步荣、杨牧、痖弦等合资成立的洪范，所出文学书籍在市场上都叫好且叫座，为文学读者所喜爱。九歌之出，也是立即获得阅读市场欢迎。这五家出版社其后被誉为

"五小"，虽属小规模经营，但因创办者都是文人，多曾担任文学媒体主编，拥有广阔的文坛人脉，也拥有强度的文学鉴赏品位，所出文学书籍亦多为名家精品，往往高居排行榜前十。一时之间，相激相涌，带动了前所未有的文学阅读风潮，创造了文学书籍在一九八〇年代出版市场中的荣光。

作为年轻作家，我与同龄的朋友一样，一方面是五小的购书者，每出一本就买一本、读一本；一方面内心也有期待和梦想，希望有朝一日能跻身于其中，成为作者之一。不过，这样的梦想只能存放心中，写还是得照写。

一九八三年，我终于成为九歌出版社的作者。因为文甫先生当时要推出"九歌儿童文学书房"书系，他印象中我曾在《时报周刊》撰写过一系列中国神话故事，要我将这批文章交给九歌出版。这对我来说，尽管是改写的故事，等于圆了我的梦，于是整理已刊文稿，辑为《中国神话故事》交给了九歌，于当年八月出版，此书因此"意外"地成为我的第一本童话集。一九八六年，我的第二本改编童话集《中国寓言故事》再交给"九歌儿童文学书房"出版。这两本改写童话集，开启了我的儿童文学创作生涯，不能不说是文甫先生所促成。

多年后的今天，回头看"九歌儿童文学书房"的丰硕成果，以及文甫先生后来举办儿童文学奖，鼓励台湾儿童文学创作的作为，我才了解他当年另设儿童书房的苦心，他是把鼓舞儿童文学创作当成出版责任来做的，他想扭转以翻译或改写外国名著为主流的儿童读物出版方向，现在来看是成功了。但也因为这样，他对来稿要求极高，亲自阅读、校对，也提供作者修改意见。手头一封他于一九八四年十二月给我的信，这样写着：

> 大著"寓言故事"影印本及周策纵先生来函，均收到。第四集儿童书房已付印，农历年前后推出。"寓言"要请小朋友先试读看看。（原则上应无问题，如果再出第五集，当优先考虑也。）儿童书真难发行，也许将来方针可能要重拟，先此奉闻。

这封信透露了两个讯息。一是"九歌儿童文学书房"推出初期遭逢了"真难发行"的困境，使得文甫先生有是否能够持续的忧虑；二是他对儿童书房所出之书"要请小朋友试读看看"的敬谨敬慎。

一九八五年十月，我再接到文甫先生来信，告知《中国寓言故事》已在排印：

> 中国神话故事（作者注：应为寓言故事）正在排印中。插图由在美国念书的陈裕堂画好，他建议每篇文章加一句成语（和内容配合的如"朝三暮四"、"守株待兔"等），可否加上，点明题旨，等兄回国看校样后再说。

当时我正在美国爱荷华大学参加国际写作计划，接此信，知道《中国寓言故事》已经付排，相当高兴。对于文甫先生能排除万难，续出儿童书房，就感到放心了。他建议另于各篇加上成语，当然欣然接受。在这一本书长达一年的出版过程中，我看到的是一个守门人的严谨编辑态度，儿童书房的选书如此，九歌文库的选书当然也是如此。我想，这就是九歌出版能够成功，也是九歌儿童文学书房能够突破发行瓶颈、持续以继，至今仍然不坠的原因吧。

尽管我在九歌儿童文学书房只出了《中国神话故事》、《中国寓言故事》两本小书，所幸并没有让九歌赔本。神话部分，前年与去年分别拆为《蛟龙、怪鸟和会念经的鱼：中国神话故事1》、《帮雷公巡逻：中国神话故事2》重出；寓言部分，二〇〇〇年三月，获得台东大学儿文所"台湾儿童文学100"评选入选的肯定；今年五月又以新书名《大钟抓小偷：成语也会说故事》重出。我年轻时改写的童话集，能够历二十六年而继续被新一代儿童阅读，要感谢文甫先生当年为两书出版所费的心血与提点。

（三）

我更大的梦，是希望我的诗集能在"五小"出版。最早帮我达成这个梦想的，也是文甫先生。一九八二年，文甫先生打电话给我，说诗人余光中向他推荐出版我的诗集，问我诗稿够不够？接到这个电话时，我相当兴奋，出版诗集，即使在文学出版最鼎盛的一九八〇年代都是困难的，何况我还只是青年诗人！余先生的推荐，对我是莫大鼓励；对出版社来说，可能是个负担。然则，文甫先生却当真来办，他希望我把最满意的作品交给九歌，告诉我，要慎选作品，不可辜负余先生。

这样经过两年，在文甫先生不断的提醒下，我将当时写作的主力十行诗七十二首辑为《十行集》交给了九歌。一九八四年七月，《十行集》成为九歌创社后出版的第一本诗集，同期出书的有林清玄《白雪少年》、古威威《梦里梦外》，都是青年作家。在出版名家作品大受欢迎的年代，文甫先生能注意到青年作家，主动约稿，也可看出他的慧眼和气魄。这份情谊，我一直长志在心，未敢或忘。《十行集》出版后，在阅读市场上幸未让九歌丢脸，到一九八七年印了三次，二〇〇四年又重印增订二版，迄今仍在书店流通。但更重要的是，作为我创作生涯中最重要的印记之一，《十行集》之出，奠定了我的诗坛定位。这是文甫先生不计盈亏，厚我之处。

　　作为出版人，文甫先生的文学传播理念，也在九歌一些不计盈亏的出版品上彰显出来。就我印象所及，最早是年度散文选的出版，连续编选至今，从未停止；其后一度出版《蓝星季刊》达八年之久，方才停办；而投资成本最高的，则是一九八九年《中华现代文学大系》十五册，二〇〇三年《中华现代文学大系二》十二册。两部大系完整呈现了当代台湾文学各文类的佳作、名篇，以严谨、公正、包容的态度，展示了台湾新文学的多元风貌。其后又出《台湾文学二十年集》四册、《台湾文学三十年精英选》七册等。这些选集，投资成本高，无利可图，文甫先生却以一家出版社之力逐一完成，都让我看到了一个出版家在文学出版版图上的雄才大略，经纬远图。二〇〇五年，文甫先生获颁金鼎奖特别贡献奖，表彰他对台湾文学出版与传播的贡献。当时我是众多评审委员之一，投票结果出炉，内心特别感到高兴！

　　一九八四年，九歌出版我的《十行集》时，文甫先生五十八岁，我二十九岁；如今我也到了他当年的年岁了，见他健朗依旧，回想年轻至今与他结缘的种种，江湖夜雨，何止十年？桃李春风，润泽长在。愿以此文，祝福文甫先生健康长寿。

　　　　　　　　　　——原载二〇一二年十一月《文讯》杂志第三二五期

不曾拥有的时间会给你

只有品尝过苦味，
才会有纯粹的欢愉。
看到那臆想的场景之时，
总会懂得所有的一切都不是信手拈来。
你所经过的每一寸时光，
都是为了迎接它，拥抱它。
最好的时光，都不曾虚妄。

蓝天·大海·结婚曲

林贵真/文

（一）机场

夜晚清晨，夜晚清晨。

不论出发或回程，搭华航去关岛，一定这样轮流着。

似乎都在摸黑中行进，夜晚清晨，夜晚清晨交替着。

我亲爱的新人们，我想说的是，漫漫婚姻路就是这样，有暗夜有天明，有挫折有成就，有甜蜜有痛苦，婚姻生活不只浪漫也很现实，所以有人说婚礼之所以需要众人祝福，正因为预知婚姻路上不会永远顺遂。原先山盟海誓的两人以为从此过着甜蜜的生活，以为从此"不变"？那我们都错了。"变"是人生的本然，不然婴儿怎么期盼长大？美人怎么最怕迟暮？花开必然花落，日出总有日落，潮涨潮落，事业兴衰，四季冬春夏秋，春花、夏雨、秋风、冬雪，风水轮流。所以人身要保险，汽车要保固，那么婚姻呢？只有"保鲜"二字吧！

我亲爱的新人们，婚姻路上，"保鲜"谈何容易。我只有这十二个字相赠——会争吵能和好，有危机懂转机。

啊！黑夜清晨，黑夜清晨，不是指天空而已。婚姻路上多人饮水，"明暗"自知。

（二）饭店

住进关岛"太平洋岛度假村，六天四夜自由行，行程满档。

有市区观光：

太平洋战争纪念公园，顾名思义，这儿尽管竖立着一尊自由女神像，但也遮盖不了曾经有过的血腥。

残杀，我不愿意说对错，只要是人总有愚昧的时候，所以战争的悲剧不断上演，不幸人又是善忘的动物，"纪念"也者，只不过再次提醒吧？

恋人岬，关岛原住民查莫洛族流传下来的凄美爱情故事，也是偶像剧拍摄景点……

亲爱的新人们，我想说的是，婚姻生活就像观光旅游一样，随时随地都有景点，都有故事。有时悲壮像史诗般，有时凄美动人赚人热泪，说真的，有婚姻的地方就有故事，每一段婚姻都是景点，每一个景点又都风光无限。正如我们住的这家饭店，这几天大伙都尽情享受水上欢乐时光，有人去驾风帆，有人去浮潜，有人玩滑水道，有人爱独木舟（我就是），有人去射箭，有人想打羽毛球苦于找不到伴，有人明知玩水肺潜水有冒险性，据说，有人玩得头晕呕吐，但上陆后又津津乐道，眉飞色舞向那些不敢下水的人（如我者）……

这几天住在饭店里，玩不玩水上活动就是自己的选择，譬如长辈如隐地先生，他拒绝所有水上活动（与年纪有关），他选择一个人安安静静在房间里阅读，他说把大陆作家贾平凹写的小说《废都》五百多页读了将近一半，他说好精彩。而我呢？偶尔选择去划划独木舟，从浅浅的人工湖练起，到后来敢下海去玩……

真的，人生充满选择和冒险，婚姻生活又何尝不是？选了就不要后悔，择了就不要抱怨，何妨学学这位参加水肺潜水的朋友，即使头晕呕吐仍能津津乐道，这就是生活，这就是婚姻吧！

（三）教堂

这会儿要去的教堂似乎与宗教信仰无关，是一座婚礼礼堂。除了骨架外，全数透明玻璃，建筑采金字塔造型。打开教堂门，眼睛一亮，南太平洋的风光尽收眼底，一片大草坪，椰子树、芭蕉迎面来，沙滩、大海、白云、蓝天，抢尽风头，梦幻极了，"偶像"极了。

大白理石的石阶，透明桌上的烛台，三根蜡烛一闪一闪，牧师庄严站在前方，捧花新娘，英挺新郎，行礼如仪，亲友们台下微笑观礼，静敬而肃穆庄严。真的和台北看见的婚宴气氛不同，婚姻的神圣在仪式中宣告。我想我明白孔老夫子说的"尔爱其羊我爱其礼"，一场婚宴应不是吃喝热闹而已。

亲爱的新人们，婚姻正像窗外那蓝天大海般壮阔，如果新郎像蓝天，新娘正是那片大海，海天一色，生命的大圆满在此完成。

而沙滩、草坪是人生不同景致，绿树、烛光充满光明和希望。这座婚礼教堂简约透明，我爱"简约透明"四个字，这不也正是婚姻路途上的金玉良言？只是婚姻路上，我们常把简约变复杂，将透明盖满尘埃啊!

（四）亲友

婚礼除了男女主角新郎新娘外，亲友团是最重要的配角。此行十六人中，有长辈如双方父母的我们，平辈如双方兄弟友人等，也有唯一的小辈——新娘的才一岁半的小侄女。因为亲友团大都初次见面，礼貌、客气、疏离、陌生。说真的，所有人际关系不也都是这样开始？然全团中共同的唯一焦点，就落在那一岁半名叫高沂岑的小女娃身上，大家都想逗她玩，因为童稚可爱。后来我和她的友谊建立，竟是从我唇下的一颗痣开始，每当我想逗她玩时，小女娃常会伸出小小食指来逗弄我脸上的黑痣，我也时不时仰起嘴边的黑痣比一比，她就咯咯笑了，于是我们的关系就这样建立起来。

我亲爱的新人们，婚姻生活无他，建立关系而已。男女双方寻寻觅觅不外想找到共同"焦点"，有人为信仰，有人因兴趣，因此，培养共同的价值观，成了稳定婚姻关系的重要法门。所谓志同道合谈何容易，但不容易并非不可能，若能时时以对方为中心思考。当然这又是另一种高度，难怪有人笑称婚姻就是道场，修啊!

走笔至此，邮局送来一本法鼓文化出版的《爱的花园》，巧不巧的是一本为夫妻伴侣而写的关系指南书，副标题——通往真爱的禅修习题。所以婚姻无他，时时刻刻觉察，修行而已。

我亲爱的新人们，祝福祝福。

（五）写作

总之，一趟关岛行的结缘情，我感动。

我亲爱的写作班朋友们：

我倒想借这趟关岛行，顺便和大家聊聊"生活写作"。

写作无他，写你的感动，从生活中体验来的。

当你选好你的材料后，组织结构，剪裁取舍——就如这篇关岛行。我以机场、饭店、教堂、亲友组合的题材，透过我剪裁、运思、结构后，文章风貌大致完成。一如你建筑一座教堂，先是完成钢筋骨架而已，更重要的是你盖这座教堂到底为什么？所谓写作，最重要的是灵魂——核心价值在哪里？以关岛行为例，我只想以一场别开生面的婚仪，聊聊婚姻的真谛，借机和新人们共勉。

写一篇很另类的旅行文字，你说是吗？

总之，如前面说的，婚姻一如禅修。那么写作也如是，透过生活不断地觉察，也一如古训所言，你我是否能经常地从博学出发，审问、慎思、明辨，然后笃行之——写，写，写就是。

——原载二〇一二年七月十日《人间福报》副刊

大同小异的苦闷

喻丽清 / 文

我一直觉得理想的人生应该是青春时活得闪闪发亮，年老时活得优雅从容。其实两者互调也许更加完美。可惜年轻时，我们如何能明白什么是从容？

最近收到北医大"北极星诗社"的简燕微小学妹寄来的《望远文报》，知道沉寂了很久的诗社又活跃起来了，心里有说不出的激动。当年我把我的青春全押在那个诗社上了。谁知它依然健在，依然有诗的热情在那里燃烧。也许每一代有每一代打发寂寞的智慧，而我们那一代的青年，如果没爱上文艺真的不知如何打发日子。

我们的青春像张白纸，草稿不知如何打起，父母老师替我们设好的框架，我们未必心服。没有计算机没有旅行没有多余的物质让我们挥霍，因为外在的自由太少，我们反而拼命想要用文学艺术来丰富自己的内心。回顾所来处，我们强作坚毅用以掩饰脆弱，争自由有时反而加重了自身的负担却不自知。

一种对美好事物的渴望与追求，使我们着迷于哲学，那时候存在主义当道，我们急于知道生命的起点和终点，结果存在主义更加让我们迷惑。我记得萧孟能的《文星》和林衡哲的"新潮文库"，几乎是我们那一代人最爱的精神粮食。在升学主义的压力下，其实文艺只能拿来当副食，说它是鸦片也未尝不可。

我还记得胡秋原和李敖大打笔战，一个要维护传统文化，一个要全盘西化，现在想来不过是老人跟少年的战争，打到现在中国大陆接下来还在打。那时候文建会和救国团真的为我们这些文艺青年做了很多洗脑的工作。等我出了国门后，才明白原来对岸文化大革命的时候正是我的青春期，不禁捏把冷汗。想想如果调换了场地，难保当红卫兵的不是我们。当那些红卫兵犯着一点都不美丽的错误时，我们却在郑愁予答答的马蹄中享受着过客一般的浪漫情怀。青年救国团带给我们的救赎真的不小。

由于爱写诗，除了在大学里创办北极星诗社之外，我还代表北医参加过救国团办的暑期文艺营、岁寒三友会、出版研习会等，受益是一辈子的，加上天主教的耕莘写作班，就让我文艺得更加彻底。留学风气一开，大家跟着潮流走，我也走，一心要去远方……流浪……三毛去沙漠受苦受难，其实是替我们那一代青年去的。青年的苦闷没有国界，文艺是苦闷的象征没错。

如今自助旅游吃香喝辣，手机随身听平板计算机，什么都唾手可得，但宅男宅女们的空虚好像并没有被填满。外在的自由多起来，无从选择的烦恼就开始了。我想，人的一生最好不要像水桶一样被注满，要像火一样一次次被点燃，我们那一代的愚蠢也许跟这一代并没有太大的差别，可是这一代的聪明我们却遥不可及。

——原载二〇一二年十二月《文讯》杂志第三二六期

恐惧游戏

伊格言 / 文

德国魏玛，雨夹雪。

气温静止于摄氏零度。榉树的树干上还存留有冰的痕迹。二〇〇九年三月，我离开另一座城市，搭乘德国国铁IC列车来到此地。车程仅约一小时左右。

魏玛——魏玛共和缔造之地，一段文明短暂辉煌的核心。这仅是个小城，建筑精致美丽，歌德故居、席勒故居均位于旧城区内。我上车前犹是微雨，然而到了魏玛后转为大雨，间杂冰霰，夹带在厚重雨幕中的、细碎的白色微粒。我在车站前换乘公交车，在大雨中抵达城郊的布痕瓦尔德。

而今看来，那仅是一片原野中的荒地。布痕瓦尔德——二战期间除了波兰奥斯维辛之外最大的纳粹集中营，因此也是目前德国境内最大的。

在穿越大门之后，面对的其实主要是一片石砾满布的地域。

（回想起来，或许从我步入布痕瓦尔德大门开始，他便一直跟着我了。）

广漠的石砾地其实是集中营主要房舍的所在地，然而木造的房舍在大战末期毁于兵燹，未曾存留。而石砾地的后方则是当初纳粹党卫队堆放物资的仓库，目前内部已改建为博物馆。

（"你知道那是博物馆吗？"我小声问他。

"当然。"

"你感想如何？"

他耸耸肩。"那只是一部分。"他语气冷然，"但那是人类的限制，我不怪他们。你等一下就会知道了。你可以先去医务所看看。"）

石砾地一侧是医务所和病理实验室。那是两幢彼此相连、稍低于地面的砖石建筑，约是四五个隔间的格局。在进入之前必须通过一道下倾的短梯。

但室内光线并不昏暗。或许也正因天光犹亮，有一扇窗背向室内的陈设，单独开往光的来向。连着水泥地，一方贴着白色磁砖的长方形平台于室内中央立起，尽管陈旧但依然带着某种整洁明晰的秩序感。当然我一看就明白那是个解剖台，因为那与我在医学系里修习大体实验课程时所使用的解剖台如此相像，差异者仅在于材质而已。台面中央开了个洞，四周微微凹陷，显然通往血水的引流渠道。

而今干燥的解剖台上则静置着几茎玫瑰。

而一旁木桌上的玻璃柜里便是那些器械与刀具了。那当然也是医学系时期解剖课常用的东西。较为少用的是锯子、木槌与凿刀，因为那大约只在开头盖骨时用到。与人的全身相较，头骨与头骨内的组织仅占有极少的体积与重量——然而我们知道，这极少极少的分量之中负载的却是人类整个文明的曲折与深沉。那般的曲折与深沉，显然不是凿开犹太人的颅骨便得以具体窥见或理解的。大屠杀牺牲者的数字向来是个争议，然而无论如何，从我们总是时不时便触碰到以二战为题材的德国文艺作品这件事，我们便足以知晓，这个民族是花了多大的力气在试图探问这个关乎文明的谜题。汉纳·鄂兰给出的答案之一是著名的"邪恶的庸常性"概念，然而更多人之所以感到困惑，恐怕是因为"何以一个精神文明成就如此之惊人的民族竟能犯下如此野蛮而残忍的罪行"这件事。

那文明成就与罪行的直接对比确实令人瞠目结舌。

（"刚才你提到人类的限制。但这样看来，人类会的事情也很多，"我试着向他搭话，"好的坏的都很多，不是吗？"

我注意到从进入实验室开始，他便沉着脸不说话了。

"你会的事也很特别。"我继续说，"比如说，在冰冷的雪雾中飞行。"

"那只是对你来说比较特别。"他打断我的话。

"确实很特别呀，一般人类是没有能力这么做的。"

"现在还不会，没错。"

"你说现在还不行，"我笑着回应，"难道以后可以？"

"我想是的。"

我感到惊奇了，"你的意思是，你会知道以后的事？"

"只到一个程度。"

"所以？"

"我的意思是……"他停下来，偏着头思索着，那既孩子气又认真的表情十分可爱。

"我想"他说，"只要人类继续那样下去——继续思索，继续研究，继续创造美好的文明同时制造暴行——那就可以。终有一天，人类将能在雨雪中飞行……"）

大屠杀，所谓"野蛮"，文明的对立面。然而我的怀疑在于，或许野蛮或残忍实际上根本就不是文明的对立面，它们原本便存在于文明之中。事实可能是，除了那些被归类为普世价值的某些良善概念（如基本人权所规范者）之外，所谓"文明"原本就包含了太多与所谓的普世价值相悖反的成分。

文明原本就非关善恶。在最初，它只是匿藏于人类颅骨之中的一个执念、一种欲力。说来或许异常简单，一言以蔽之，这个执念其实只是在说"我想知道"而已。

想知道什么？什么都想知道。宇宙、生命、万事万物。也正是在这样的欲力驱动之下，人类发现知识、主导宗教、建立制度、辩证概念、创造文明，从而意图以文明（或概念、或宗教、或各式制度）规范事物、解释世界、理解世界。这些"理论"（或说"世界观"、或说"言说"，一个以因果律和人类的思索共同创造的拟像）成形之后，由于人类对自己的执念与智慧之自信，理论遂成了主导一切的压倒性的力量。

理论导致权柄，理论创造规则。"凡人皆生而平等"是一种理论，"德意志是世界上最优秀的民族"同样也是一种理论，然而人们忘记了，还其本来面目，它原本是"我想知道"，就只是"我想知道"而已，其间没有善恶、非关善恶。

理论并不能保证善。善者与恶者原本便并存于文明之中。

是以大屠杀其实一点也不"野蛮",大屠杀根本就是文明的一部分。如此看来,或许精神文明的成就愈高,原本便最有可能做出最恐怖的暴行,而暴行的基础则来自人类最根本的欲力。换言之,欲力既已存在,则暴行无从避免。

还好,除了"我想知道"之外,人类还有别的本能、别的执念,还好人类还有设身处地的能力,还好人类还存留有"想象他人之痛苦"的能力。是人类将"我想知道"、"我想理解"的欲力用于想象他人之痛苦上,从而形塑了世界现今的样貌。在这样的世界里,善恶并存,大屠杀可能发生,而人性中的良善高贵也同样可能发生。

隔着大片的石砾地广场,先前提过,那是集中营房舍被焚毁后所遗留的空无之地,与医务所遥遥相对的,是纳粹党卫队的仓库。那原本是用以堆放衣物、存粮与军品等一般物资的,而现在内部已改建为博物馆。馆中有一展示令我印象深刻,那是在战后,集中营俘房房舍已然被毁之后,在焦黑的土地上找到的遗留物,一件一件,整整齐齐被排列在一个长形的大玻璃柜中。

绝大多数是钮扣,大小不一、各种颜色、有着不同材质、不同孔洞数目的钮扣。也有几件类似牙刷柄、发梳之类的东西。最令人感到惊异的是,竟有一整副几近完好的假牙。假牙张着大口,仿佛颅骨的一部分,仿佛真有一副连着假牙的颅骨此刻正被置放于干燥清洁的解剖台上。仿佛面向光的来处,身处于黑暗之中,张口的颅骨正发出无声的嘶嘘。仿佛那诉说的不是经验、不是历史、不是控诉，而只是讪笑或虚无。

可以理解足以躲过焚烧与战乱的均属于较硬的材质——吃的，穿的，用以整理仪容的。一言以蔽之，文明生活。文明与人类之原欲的交接地带。钮扣与发梳的文明接壤了人类关于"美"的原欲。假牙的文明接壤了人类关于口腹之欲的原欲。在文明降临之前，人类为了各自的原欲而彼此杀伐屠戮；在文明降临之后，人类以更精致的做工、更庞巨的规模、更周整严密难以辩驳的理论，以及唯有文明本身足以有效处理的结构设计，彼此杀伐屠戮。

"刚刚，那个医务所。"他突然说，"我去过那里。"

"生病的时候？"

"嗯。"他的眼神显得渺远。他淡褐色的发已被雨幕尽数打湿，一绺绺地贴在前额，无数冰霰的白色微粒附着于其上，像在时光流转中骤然老去的童颜，"还有，被实验的时候。"

"什么样的实验？"

"他们把我的眼睛蒙起来，把我的手脚绑起来，把我的耳朵塞起来，"他不再闪躲，不再沉默，他童稚的眼睛沉静地注视着我的眼睛——并且在那个瞬刻，令人感觉不再童稚，"让我全身的感觉只剩下右手腕的部分。"

"然后？"

"然后在我完全看不见的情形下，用刀片画开我的手腕，让我流血。"

"你，就是这样才死去的？"

"不，那是他们的实验，只是实验，事实上那一刀并不重。我后来知道我很快就止血了，但他们让我以为我还在继续流血。他们喂我吃下一些药丸，骗我说那是抗凝血剂，然后在我的手腕上不停滴水。"

"你……一定很害怕？"

"我怕死了，我一直发抖，我以为我就会这样流血到死掉。"

"后来？"

"后来我昏倒了。至少在失去意识之前，我真以为我死定了。醒来后他们才告诉我这是个实验，恐吓我不能说出去。"

"不能说出去？你还能告诉谁？"

"同伴，父母，都不能。他们叫我就这样回去营舍，什么都不能说。如果发现我说出去，他们会杀了我。"

"那就是在病理实验室里曾发生的事？"

"不只是我，后来那里死过更多人。"他稍作暂停，他的眼神望向远方——越过房舍、草地、森林与空间本身的虚无，"有人光是因为流血的恐惧就死了。死去的人，包括我的父亲……"

"真残忍……"

"那时我十岁，但我想说的其实是……"他深吸一口气，"我的父亲，并不是个纯粹的无辜者。我也不是。他是领袖，在营舍里，他和德国人合作管理了很多事。也因为这样，我们一家能够分配到比他人更多的食物、更好的衣物，尽管只多那么一点点……"）

即将离开布痕瓦尔德时，我再次回到医务所和病理实验室里转了一圈，参观的人已少去许多，室内无风，然而解剖台上散落的玫瑰花瓣却轻轻地旋转着，像是有什么神秘的思索正牵引着它们。这园区，这博物馆，这存留的物件，这般大费周章，只为了"记得"那奇异的暴行。

同样也是文明所为。文明的欲力显然足以同时放大人类的善行与恶行。

一队青少年正自稍远处的广场经过，走向医务所的方向。他们在师长的带领下来参观布痕瓦尔德。天气依旧很冷，雨雪冰凉。他们没有嬉闹，只是躲在低低的帽檐下默然行走着。他们穿过了集中营铁丝网外的大片榉树林。那是我在来时曾穿越的，就像许多年来，风曾穿越了这许多无叶的榉树一般。

那些寒冷的、光秃的，在雨雪之中显得潮湿的枝干。

我想起医务所实验室中，那床洁净的解剖台，那扇唯一的、单独开往光的来向的窗。然而此刻，天光雪白明亮。在石砾地上，在铁丝网下，在集中营的周边，光线充斥于空间之中。那种色泽的光，既无温暖之意，也并不冰冷，它只是存在着，任凭行人、雨水、雪花与历史无声地穿越它们。

孩子们走远了。而那个十岁的孩子，也无声地离开了此地，离开了我。我知道，这里是光的坟场。光的量体于此存在，然而不再具有任何关于亮与暗的意义。

他们的步履在石砾地上压磨出沙沙的声音。

——原载二〇一二年十二月三日《自由时报》副刊

物质的美好

李维菁 / 文

池塘边，他递出小便当盒，要我打开，里头是炸虾。

他说，虾子买的时候比较大条，不知道为什么炸了以后，缩水似的。

黄金小虾子弯弯曲曲地躺满盒子。他一早起床上市场买虾子，在厨房里头裹粉，亲手炸。

我瞅着他，然后问，怎么，你不会喂我吗？

这是我收过的唯一情人节礼物。

人送你什么礼物，多反映他自己的价值观。不久以后，他也要我用食物表达我的在乎。他坚持要我下厨煮菜，难吃也没关系。

换我端出的小盒子，里头是红黄相间的甜椒炒牛肉。

他吃到一半，我实在看不下去，抢过小盒子阻止。肉太老了，太咸了，别吃了。他面无表情地说，还行。然后吃完了。

想想我收过的礼物好少，左手一只就数完了。

我收过一首歌。

对方拿起吉他，要我坐在对面。

我有礼貌地挂着笑。他中断三次，忘了下面，吉他弹错。他中断问，不好听吧。我摇头，很好的，你继续。

事实上，旋律怪，词很土。他走音严重，我也不太明白音痴为什么想作曲当礼物，唯一可能是他没发现自己是音痴。

唱完了他尴尬，说，我送你别的？

我点头，开口要一瓶指甲油。

物质是很重要的。在物质上慷慨的人，在情感上未必大方。但物质上吝啬的人，在情感上必然吝啬。

心意光用嘴巴说，却没礼物，这种人绝对不可信。那感觉就像是怀念祖先，用心就好，何必扫墓祭祖。很重朋友，何必写信电话或见面。总在夜里怀念旧人，所以根本不需照片。

现实是不去扫墓你三年都不会想起列祖列宗。不联络见面，却说是好友，这种话是做直销的爱讲。不翻照片，你不追悔曾辜负过谁。

人没有那样高尚，形式很重要。

所有艺术史的演进就是物质与形式的一再革命与突破。以诗为例，因为既有的语言表达方式再也不能表达内心激切的感情了，因此我打破了现有的形式，打碎了惯例，创造新的语言型态，满足那份亟欲沟通的渴望。视觉艺术的进程也出自物质形式的一再变革，因为对这世界的看法新颖充沛，必须创造新的物质组合，形式到位，精神的进步相随，前卫因此诞生。

爱情也是，必然饱含某种创造性的欲望，将心意转化成某种印记，对过往赋予重要性与象征性。物质是虚幻情意的稳固支点，物质与精神从来不站在对立面，而是彼此的救赎。

这不是拜金恋物，我真正明白物质的美好。

我身边就有这样的人，每天说思念，跟你谈福柯，却连一杯美式咖啡的钱都不愿替你付。还有长发潇洒男，你从家里带出两颗大水梨，他吃完他手上的，还指着要你手上的那颗。你听到他说，你家反正比较有钱，你常吃。

一个习惯掠夺或支配不属于自己物质的人，必然贪婪无义。

当我摩挲克什米尔披肩，感受到颈项之间的细致柔滑，我总觉得，情人不死也会跑，物质与回忆会天长地久。

物质不灭定律，可情感无常。

很多年后，我一上捷运就看到他，心漏跳了一拍，我本能转身背对，然后我觉得蠢，头低低地赶紧避走到另一个车厢。我又忍不住从远远偷看，他双脚夹着购物袋，闭眼打盹，我放心了，那代表他刚刚没看到我以及我的蠢样。

那个炸虾给我的男孩，老一点，蓄胡子了，现在不知是谁的父亲与丈夫。但仍然明朗稳重，还是我当初一见钟情的那张侧脸。

迟钝而饱满的什么东西在我里面发作。

广播到站，他以前总在这里陪我下车。我抬起头，想看他最后一眼。

他突然睁开眼，与我四目对视。

我惊叫出声，往外急冲。我对迟迟不能放手的愤怒难消，对已经放下的，那股护持的温柔又强大到连自己都吃惊。

软软的，涨涨的，我在喘息中也才惊觉，过去了，都过去了。

——原载二〇一二年三月三十日《中国时报》人间副刊

并不会怎样

每天骑着脚踏车上班，一晃也好几年过去了，突然，真的是突然，想到我不开车了。试着减掉一向觉得不可或缺的倚赖，看看会怎样？车卖掉后，从此不必定检，不必缴燃料税和牌照税，不必付停车费，不必买车险，不必按时洗车和暖车，不必对油价敏感，不必再为迷路困扰。

生活中我在意的对象，书是其一，减掉买书和出版书会怎样？也许就会回过头来重新温习旧书，"温习"这个词，在网络时代突然变得很陌生。温习，有一种心境安顿的感觉，有一种重新发现的惊喜，像和老朋友促膝谈心于树下，晚风习习，让焦躁的信息回归知识的安稳与人生的微悟。所以减掉书，并不会怎样，反而精神都温柔地环保起来了。

陪伴小孩很重要，上了国中后，小孩现在没我陪伴也不会怎样。陪伴像是加法，用父母亲去加自己的孩子，愈加愈复杂难解。其实，陪伴更应该是减法，孩子只偶尔需要我静静地倾听，以朋友对朋友的眼神交流，其余，就让彼此享受那种减到最清净的孤独。每个孩子·都需要品尝孤独的滋味，生命才会渐渐有厚度。他们从米都很清楚父母亲对他们的重视，但是，重视比不上一次面对面的注视。注视，才听得见成长的声音。或许，最需要陪伴的，是我自己吧？我没有陪伴那个沮丧、失控、抓狂的自己，我没有以朋友对朋友的眼神注视自己。

手机坏了，想说完蛋了，大家都找不到我，后果一定会怎样又怎样。但几天后发现，真想找我的人一定找得到（十三世纪波斯诗人鲁米说：每个爱你的人／都会在你消失不见的几天爱上你）。然而多数是不需要我的人，原来我不是那么重要。我重视手机的程度是否远远超过友情？生活减掉手机等于友情，敢不敢一试？

在台北一直没买房子，也认真找过房，找到后来有一搭没一搭的。如果我的心就是一栋房屋，心内时时有家人，我移动到哪里，哪里就是家，没买房子并不会错过亲情。

没房子、没手机、没藏书、没车、没时时刻刻陪着孩子……会怎样？我自问，是因为害怕错过什么吗？我们明明知道人生难以掌握，却偏偏无法释怀。其实我们无时无刻都在错过生命中诸多选项，一辈子都在无望地期待日子好转。错过不代表错，有时互相错过，是这辈子的幸运。因为错过而选择了别的，或者庆幸不必选择，也没什么不好。

挂心工作，老是忘了亲情或者好好读一首诗比工作重要。工作到底可以怎样？如果不能怎样又会怎样？就这样累了整天，睡前崩溃一次，早晨再重建一次。我们总是把梦加多再加多，变痴肥了，鲁米说："当你成为多，你就是无／是空。"于是我们分不清梦与梦想是两回事，梦是需要想的，否则不可能实现。每天减一个梦，梦想就会愈来愈明显。

　　每天早晨试着对工作笑一个，心怀感谢。感谢我们可以互相提供荒谬，让人生与文学彼此印证。感谢忍受我脸色的人们（波兰诗人辛波丝卡说：我亏欠那些／我不爱的人甚多），他们提醒我别人忍受的底限是——不笑没关系——至少不能可笑。然而，工作应该还要再减或简到它的核心，变成值得付出的事业，只有视为事业才能专心在每一次的对待——对待任何人以及微不足道的小事都全心全意。

　　减掉什么，不会更坏，有时更好。不管减掉什么，生命中一定存在另一份工作，另一个梦想，另一种度日……鲁米说："黑暗就是你的蜡烛／你的边界，就是你追寻的起点。"种种希望的可能，总在减到最简单的时刻萌芽。

——原载二〇一二年十月十七日《中华日报》副刊

故　事

　　一大早帮小孩办出院，他脚伤引起蜂窝性组织炎，住院了一星期。他很高兴赶在周日出院，因为星期一，五月二十一日一早，他要看日食。

　　小孩就是小孩，脚都痛死了，住院第一天，中午吃医院餐，他说："哇，还比学校的营养午餐好吃！"一边吃，自己一边笑出来。"笑什么？这么好吃？""我是想到平常每天中午一打开营养午餐，班上有几个同学就会说：君要臣死，臣不得不死……然后才开动。"我也跟着大笑："你们这些死孩子！"可是医院餐吃不到三天，他开始嫌弃，"妈妈还是你去帮我买吃的来。"我怕他也对我说，"君要臣死……"只好每餐在医院、公司两边奔命。住院一周，挂着拐杖回家，距基测不到三周，他居然欢天喜地，只因为能赶上看日食。孩子就是孩子。

　　一个礼拜没有这样一起吃早餐了，我做了蛋卷饼，煮好了咖啡，才坐下来，三个人的话题不是蜂窝性组织炎，不是国中基测，也不是讨论看日食的工具，而是交换在医院里听到的故事！

　　小孩刚入院时，双人房里另一床是位老先生，不知是什么病，陪伴的家属是个NBA迷，病房里的电视频道老停留在体育台。我偶尔抬头张望一下比数，热火对步行者的第二战竟然失手……他发现我注意比数，兴奋地对我们发表他的预测，说总冠军一定就是热火、湖人或雷霆了。我随口说还有马刺啊，七十六人啊，绿衫军啊，他颇意外。其实在林书豪旋风之前，关于马刺，我只知道《包法利夫人》里提到老包法利当年"身上的马刺叮当作响"，那是年轻、美男子的象征。绿衫军不是北一女吗？七十六人是什么东东？至于热火，我会以为你在说欧阳菲菲。两天后老先生出院了，也不知道治愈了没有。我从头到尾没听到老先生说过话。

隔壁床第二位病人，不到中年，身高一米八，体重才六十二公斤，我这么清楚是因为护士来仔细问过。有个身材相当壮硕的年轻老婆，大陆口音，用餐时间出现，又匆匆忙忙赶回去工作的样子。病人面黄肌瘦，长期没有胃口，勉强吃了也反胃要吐，查不出原因。他没有酗酒，没有烟瘾、槟榔瘾，也没感冒、发烧，不是B肝、C肝带原，过去也没有慢性疾病。到底什么原因呢？真令人忧心忡忡啊！

没两天中午来，高个子病人已转换病房了。那个下午，我请假没上班，跟儿子一人捧一本书，各自安静阅读，有时轮流使用iPad。护士索性把门带上，一下午无人打扰，整个病房成了我们的书房。可惜在这医院人满为"患"的时代，怎可能空着病床，到傍晚，又进来一位老先生。先是他儿子陪伴，到晚上他妹妹来照料，开始叙说这家族精彩的故事。不过我没听见，晚间我回家休息，由老公接手看护。

我第二天一早赶赴医院时，隔床老先生已经起床，他妹妹一旁叨叨絮絮说着话。我把儿子喊醒吃早点，让老公回去梳洗、上班。我以为我们母子俩的医院晨读时光又可开始了，不料完全做不到，隔壁的声波穿过布帘，且不是有一搭没一搭的片言只语，而是一个又一个完整的故事。儿子偷偷告诉我，"昨天你回去以后我都没读书，在听她讲故事，真的太好听了。"是啊，人人都爱听故事！

我一样受不了诱惑，捧着书，却是静静听她讲述。到中午，伺候完儿子吃午餐，先生来载我去上班，路上我跟他报告："早上听隔壁那个女的讲她是人家小三的故事。""真的？她那么老了！""年轻时候的事吧。""她昨天晚上就讲一堆事了，我没有听，觉得那是人家的隐私。""隐私？讲那么大声叫隐私？"我老公有选择性关闭耳朵的本事，譬如我叫他做家事的时候。"你儿子不是用'隐私'，是用'听她讲故事'来形容。"故事故事，传说的旧事，两千年前的《史记》，太史公在自序里便用了"故事"二字："余所谓述故事，整齐其世传，非所谓作也。"整理"世传"之说而述之，非关论作，这位女士亦是述而不作。

她的独白却使我动容。男方的婚姻不幸福，老婆家世高，态度强势，男方另寻慰藉，大约是这样的普通故事。但女士对她老哥说："你也知道，我早就不对爱情、婚姻抱一点点希望了，他来找我，我知道他不会离婚，我从不逼他，连想都没有那样想过。我也不要他的钱，如果拿了他的钱，我就觉得自己下贱了。我有工作，我不需要钱。但我再也想不到我这一辈子还会有机会享受男女之爱，这一生，我够了……我从来没有对你们说过这些事，现在年纪大了，也不要脸皮了，我把这些讲出来，我从不后悔这一段……"
我把女士的大段独白背诵给老公听，听得他瞠目结舌，主要是对我的记忆力！

趁着印象深刻，我要儿子把我没听到的情节讲给我听，他笑说："我看我可以先画一个他们家族的树形图给你。"一个早餐吃下来，我总算把病房里零零散散听到的一些名字兜起来了，不禁叹口气："她怎么不写小说呢！"她确实具有优秀的描述能力，口条之流畅，令我叹为观止。我自己常到校园或是写作班、文艺营演讲，事前一定准备纲要，而两个钟头讲下来，总有虚脱之感，讲话必须心神集中，是非常累人的事。那位女士的谈话，一天半的时间，除了晚上睡着之外，几乎不曾停下来过，她哥哥只负责搭腔而已。她的嗓音，外省腔，略带沙哑，大概是声带使用过度，磨损了吧。

她的话题不重复，有时杂以政治评论、养生之道，且词汇丰富，是天生的修辞学家。儿子说，她还善用成语，譬如讲哪个朋友家道中落，她就说"瘦死的骆驼比马大"；讲媳妇对付婆婆，邻居来一看，明白了，大家"心照不宣"；她老哥抱怨医院，她说："现在你是病人，是人家刀俎上的鱼……"要他少在医院里批评。她的语言有时幽默、富生命力，比如讲她二哥当年相亲，见到女方，丑得意外，她二哥看到那女人笑起来的丑样，"恨不得甩她一巴掌"，后来她二哥还是娶了那女人，"娶妻娶德"，她为二哥的故事做了这结论，并对照大哥娶了漂亮老婆而婆媳不和、婚姻破裂的悲惨下场。

她讲述这些故事都是信手拈来便流畅如歌。我不禁想：这些故事，一日一日，一年一年，老反复在她脑海中琢磨么？这些事件，其实涵盖其家族与她的一生，是她的百年孤寂啊。

　　她的爱情在这些描述中，所占比例甚低，几日来，我却总想着她的叹息。"这一生，我够了。"她说。

　　　　　　　　　　——原载二〇一二年七月二十三日《自由时报》副刊

做一位内外兼顾的知识人
——清华大学毕业典礼致词

高希均／文

一九五四年我参加大学联招时，台湾只有一所大学、三所学院。新竹清大在我读大三的时候创办，避掉了"我没考上"清大的失望。

今天首先要向一千四百二十六位清大同学取得学士学位，表达道贺。当你们获得了一所卓越大学的文凭，你已经比大多数的年轻人领先出发了。以后的路程，以后的速度，就要靠你们自己的选择。

我一生的工作，就是读书、教书、写书。每当有机会要和毕业同学讲话时，我当然会先做一些功课。美国媒体告诉我，近年来有二篇"毕业致词"被认为是特别杰出的。

一篇是乔布斯在二〇〇六年斯坦福大学讲话。结尾中的二句话大家一定很熟悉。Stay hungry（求知若渴），Stay foolish（虚心若愚）。

另一篇是哈利·波特作者罗琳女士在二〇〇八年六月的哈佛演

讲，她细述失败带来的好处以及想象力的重要。

担任毕业典礼讲话的人，深怕讲错了话，会影响年轻学子的一生。罗琳女士坦率地承认："不要担心，我根本记不得我毕业典礼中致词者讲的任何一句话！"

这给我很大的勇气，向大家继续讲下去。

（一）三种可能的答复

今天的题目是"内外兼顾的知识人"。如果要问聪敏的清大同学，内外兼顾是指什么？我想可能会有三种有趣的答复：

（1）内外兼顾是指内心思维要与外在世界和谐相处。

（2）内是指家庭美满，外是指事业有成，二者要同时并进。

（3）内是指对本国的事很关心，所谓本土化、在地化，外是对外国的事很注意，所谓全球化、国际化；也就是本土与国际连接。

这三个解释都很合情合理，但因为我的题目是指"内外兼顾"的"知识人"，我所要讲的是，我希望清大毕业生都能够做到：

（1）专业内要"内"行。

（2）专业外不"外"行。

我就是希望每位清大人是兼具专业与通识的知识人，也就是陈校长勉励大家要"具备科学与人文素养的清华人"。这样的勉励也早融入你们在清华四年的教育规划中，如跨领域学程、通识课程、不分系双专长计划、国际志工、国际交流学习等。半世纪前我们读书时的大学课程，全是狭义的专业课程，毕业后就变成了通识的文盲。

自己最痛苦的发现是，在美国读了五年书，二十八岁去威斯康辛大学教书，从经济系的助理教授开始，那是一九六四年。每到星期天打开二百多页的《纽约时报》的星期天版，就会发现其中一半的题材是看不懂的，如科学、宗教、艺术、音乐、建筑等等。

在"咖啡时间"听美国同事们谈到他们观赏过的歌剧、画展、球赛，以及注视的国会立法及小区发展等时，就像哑巴一般无从加入。我就强烈地体会到，仅有一些专业领域的知识是不够的，自己必须要把知识领域扩大。

在相识的美国同事中，很快发现，除了专业知识，他们都喜爱音乐、体育、艺术、历史、文学、宗教，这即是我日后向往的所谓"文艺复兴之人"。他们的渊博提醒自己专业外的不足。这即是为什么我认为通识教育的重要，一定要让在美国出生的两个孩子在大学接受完整的Liberal Arts课程；这也是为什么我要向大家鼓吹"专业内要内行，专业外不外行"。

（二）圆满的人生

与年轻朋友交谈，我常向他们提醒，不要羡慕那些大官、巨商、新贵，而是要学习那些专业以外也不外行的人！学习他们在专业中，可以沉醉其中；学习他们在专业外，也享有人文情趣。

对专业以外的人与事，对专业以外的知识与环境没有时间及兴趣去了解，就会变成专业外的孤独，甚至变成专业外的"文盲"。

一九八〇年代的美国社会曾流行过"功能性文盲"一词，它是泛指那些缺乏处理生活及周边环境能力的人：如不会读家具组装的说明书，不能修理家中水电的细微故障，不会填报所得税。把西方社会这种实用性的定义用到台湾，我就担心愈会用笔考试的年轻学生，愈不会用手来处理生活上的问题，愈少有心来关心自己以外的世界。

要判断一个人的一生成就，只要认真观察他自身是否拥有较高的学习意愿、较强的反省能力、较大的包容态度、较深厚的专业知识，以及持久的阅读习惯。

一个没有学习能力的个人，他（她）的知识水平就会停留在二十岁左右的大学时代，他（她）的心智成熟也就停留在青少年时期，这将是一个多么残缺的人生！

人的一生就是在寻找各种因素的平衡：家庭与工作，所得与休闲，储蓄与消费，小我与大我。要做一个内外兼顾的人，我想七成或八成时间用于"专业"，二成到三成时间用在吸取"专业外"的知识，否则，就容易变成"太多专业，太少人味"。

一个圆满的人生是指：专业领域内是内行，专业以外也不外行。

（三）面对"信息超载"的叮咛

——用"注意力"克服。

现在年轻一代最使自己困惑的一个问题大概是信息太多，时间太少，即所谓信息超载。要减少这种困惑，二位美国管理专家十年前提出了一个很实用的观念：就要善用注意力，克服信息超载的焦虑，注意力经济，一词也就应运而生。

注意力的定义就是把精神集中，投注在特定信息的项目上。这些项目进入我们意识，经过筛选，然后决定是否采取行动。意识是靶，注意力是靶心。

（1）"注意力"的最重要功能不是在收纳信息，而是剔除信息。

（2）得来容易的信息不容易引起注意，自己花时间与金钱取得的信息，才会受到重视。

（3）"信息疲倦症候群"的症状就是烦躁、易怒、胃痛、失眠、倦怠。

（4）诺贝尔经济奖得主赛蒙说得对："信息消耗了接受者的注意力，因此信息过多就产生了注意力匮乏。"当大家忙于四处收到的电子邮件，就少有时间专心在思考与反省。

（5）注意力有报酬递增倾向，不能滥用注意力。

由于经济学的基本思考就是环绕在优先次序、机会成本、比较利益、最有利选择等法则上，自己也就不自觉地归纳出要如何善用注意力的六个要点：

（1）既然不可能读遍一个领域中所有相关的书，就只能把自己的注意力集中在"一流书"上。

（2）不需要把自己当成消息最灵通的人，做信息的奴隶，但要做善用信息的人。

（3）善用注意力，舍才会得，就是善于掌握优先次序，分清哪些是重要及不重要。

（4）注意力难以聚焦的最大敌人，就是不肯说"不"。做人面面俱到，做事拖拖拉拉，讲话拖泥带水，决策左顾右盼，这就会产生注意力匮乏症。

（5）获取信息的原则：不在量，而在质；不在快速，而在精确；不在免费提供，而在是否实用。

（6）丧失注意力的人，等于丧失了自我；集中注意力的人，才能孕育创新；善用注意力的人，才能发挥生命力。

各位优秀的清华毕业生，当你们戴上了注意力的镜片来看周边一切，忽然一切都变得比以前清晰，它使你清楚地掌握优先次序，分辨哪些该做，哪些该放弃，哪些该坚持。

这样你才会有时间，有心情，优雅地做一位"内外兼顾"的人。

（四）受人尊敬的沈教授

在台湾社会中，我尊敬那些在专业领域中表现出色的人，也向往一些在他们专业领域以外表现得博学多才，拥有人文素养的人。清华前校长沈君山教授，就是这样杰出的一位。

我与沈教授相识四十多年，可惜近五年来他一直在清华校园的住宅中沉睡未醒，令所有认识他的海内外朋友心痛与怀念。刚才我和黄秉干院士一起去看了他，轻轻地告诉他："等一下我会对你最挂念的清华同学讲话。"

沈教授一生潇洒，自在地出入于科学与人文之间、学府与庙堂之间、台湾与大陆之间、本土与国际之间、爱情与友情之间。

沈教授最大的财富不是他拥有财富，而是他拥有专业与通识，以及深厚的中华情怀。这真是清华同学值得向这位老校长学习的榜样。

——原载二〇一二年六月十八日《联合报》副刊

简　讯

林文义 / 文

用字，不能太多，言简意赅，该说什么？

纸笔，暂且舍去，还是不舍，又能如何？

晶体，索引，囊括，生命情思尽在其间？

我们，倚之，爱之，却因而唯它所困制。

　　手机。静静地放置在可以触及的手边，须臾不离，比最亲近的人还要亲近。冷冷的金属感，陌生不解的疏离，仿佛是时而睥睨却又祈望某种未知的忽然来临的矛盾。爱它又似乎恨它，科技真的足以左右情绪起伏，掌控人生？静静的手机，事实又惊怕突兀地响起收讯的急呼，将喜将怒将哀将乐……无人得以预期。

　　不想以声对话，怕是显露意向，音腔辨识多少难隐应答心绪至而引发误认、谬解之可能？来言是鲜花还是匕首，是善意或是恶念，听者遂戴盔覆甲，放怀兼及防卫，究竟怎般得宜？言间稍踌躇，可能诘问就来，仿佛风景或战局展开。创出电话的先行者想必始料未及，他的世纪贡献出于造福却没想到遗祸百年。

　　简讯。发明者一定是个爱诗之人，甚至于本身就是一位诗人。

似乎只有诗人会有此巧思，用最短的字句，传递一种定论，立即地情绪到位。譬如，爱或不爱，好或不好。清清楚楚，明明白白，无灰色地带。当然亦可若有似无、乍拒还迎、朦胧迷雾若情人应答，所该付出的是简讯来去次数必得耐烦。因为可能反问更多——为什么？不明白？说清楚些……无形中竟仿佛诗人，晦涩多，明朗少。

简讯的确可以用来写最短的诗。诗人白灵擅长的"五行言"早自成典范，近来的原住民作家瓦历斯诺干更是以"二行诗"令人惊艳！两位五〇年代诞生的秀异写手，他们已然参透生命内层深邃的领会，但见诗作静好而壮美。

文学朋友中，简讯以短诗应答的印象，诗人李进文堪称一绝，尤其他阅读之后常以简讯抒其所感，犹若风格独具的精致诗作，多少因之谙其会将散文著作命题为《如果MSN是诗，E-mail是散文》。至今仍抵死远遁计算机的我，对于MSN、E-mail还是自弃般地不予接触，依然坚持手工作业，信封、信纸、明信片。A4方格稿纸、钢笔、细针笔。修正液、传真机。有人笑我，看你坚持到几时！简讯倒是多少解除我的尴尬与无能，喜欢亦不排斥此种方便的沟通方式，也许就用简讯试写一首十四行诗，回传给李进文——

> 这空间到那空间
>
> 三秒中意愿抵达
>
> 兵马侵入还是香气袭人
>
> 寻索一个字
>
> 纯净一颗心

就怕误植令人不信

像最后永别的宣示

能够一瓶酒

可以一朵花

自我的教堂灵魂的暗室

命运未知的决定者

冰和火抉择思念

爱与恨字里行间

仿佛诗。等你，按键。

不知道这样可不可以？或再借用他的诗集书名一次，《不可能；可能》吧，用简讯写诗，一定"可能"，不会"不可能"。且以短诗说尽心事，简讯字少情长，据说恋爱中人生性羞怯，不予明说"我爱你，久久"，就以数字传去简讯——52099。多年前有位年轻作家如此告之，我听了深觉不可思议；多年后有一次开车遇红灯，偶睨及里程表积数——52099，忽而茅塞顿开地大悟！多么含蓄、美丽的巧合。举目前望，还有半分钟红灯转绿灯，遂取手机拍照存证，车再前行就难以归返的符码。

52099，多少恋人如此简讯来回，我爱你久久……到底是多久？爱幻灭了，圆满了，或只是虚言妄语、不可能完成的可能碎裂。

储存、删除。成千上万已然记不清的简讯，曾经不经意地流失，如同断绝记忆。留不住的有时却是惋惜的美好，想忘却的却又是某种遗憾的误解，像是伤痛后的结痂，别有苍凉。

微小的一片晶体静静地藏匿在手机内层，储存着、递换着各种无声的呐喊，只有它真正分享过人们的欢悦与哀伤，只有它删除去人们的爱和遗忘，仿佛逐渐替代人们的思念及其情感。有一天，是否人们会放弃大脑与心跳，是否抛盔弃甲地全然交付给一片比指甲还要微小的晶体？金属冷冽，浸蚀毁坏，沦陷所有灵魂。

最美丽，也是最脆弱的心，未来何置。

虚矫的谎言、诡谲的黑暗流动在晶体之间，偏执的法西斯以及基本教义派，成为主流的不幸；主流是一种巨大、黏稠的催眠……

那么，要不要传则简讯给自我，唤醒长年被蒙昧的己心？

——原载二〇一二年一月十三日《中华日报》副刊

小子！何莫学夫诗？

薛仁明 / 文

　　昔人有言，好的政治，要如衣鞋系带，带子系得好，却不觉得有带子。

　　教育，不也如此？

　　这个九月，薛朴刚上小学。早先，我笑着提过几回，让他甭去学校，继续在家陪陪我，如何？他没答应，只因两个姐姐都在上学，理所当然，他也该去才是。这事，我本信口说说，多是虚问，但闻听他的应答之后，还是笑着装得有些失望。

　　其实，他上不上小学，我无可无不可。制式的学校教育，当然问题重重，尤其教改以来，更是每下愈况。教改二十年，恰好，我多在基层学校待着，因"躬逢其盛"，故深知其弊。然而，毕竟我住乡下，托"城乡差距"之赐，这儿的学校还勉强算是波澜不惊，作意无多。不像城市里，自教育部以降，各级学校焦躁浮动，难得清安，整天会议无穷无尽，成日活动没完没了。结果，大人带头，个个浮躁忧郁，真不知，又该如何教出心平气和的下一代？

　　本来，所谓学习，就是有样学样；教育，也不过是树立一个个的人格典范罢了！台湾的下一代，说来可悯，亦是可怜，因为，在成长过程中，能看得到的自在安然的榜样，着实已然不多。

教育之要，"简静"二字。大人朗然清安，小孩才可能吉祥止止。今天教育之崩解，部分原因，正是被大人急坏的。小孩还没变坏，大人就先急出了躁郁症。结果，越急越坏，越坏越急。在这急成一片的躁郁时代里，令人格外想念简静岁月里的天清地宁，也让人怀念简静时日中人应有的自在与安然。

话说回来，我这儿乡下，虽说没有台湾数十年前依然可见的那种简静，但相较于都市，还是淡泊宁静许多。这儿，学校没有成日举办活动，也不太要求家长参与配合，学校与家长，多少仍可相忘于江湖。有这份相忘，就好。早些年间，我夫妇二人多半轮流请假，偶尔均有上班，家中小朋友因此也得上学。那时，一向选择的就是那种最不标榜、最"没特色"、最可与之相忘的托儿所。

这种托儿所，学费低廉，于我，更是相宜。但半年多前，过完春节，我还是没让薛朴继续上托儿所。究其原因，当然是可以省下虽不算多但毕竟仍是一笔数目之学费，反正，我多半在家。另一个重要原因则是，我想自己也来教上一教。

说要教，其实大言不惭，因为，也没什么教。美其名在家"留学"，说穿了，也多半只是他在自学。

那半年，每天七点过后，用毕早餐，小朋友洗了碗，有时也擦过地板，又与南部的阿公阿嬷讲完电话，等姐姐再上了学，多半，我便先与薛朴外头溜达了一圈，早上鸟儿多，花草香气也浓。一圈转回，神清气宁，便开始"留学"，意即，我做我的事，他看他的书。头一两天，很不习惯，因为较诸两位姐姐，薛朴以前极少阅读。早先在家，他竟日抢枪舞棒，一枝木剑，半截竹棍，已然舞弄了一两年，尚且把玩不尽。这会儿真要偃武修文，他实实不惯，于是，凭借着注音，盯着书本，才念了十分钟，便昏昏欲睡，呵欠连连。所幸小孩心性柔软，最可勉而学之，才稍稍勉强，三天过后，他已然可以安坐半个小时。又数周，常常我事情稍告段落，忽觉四下悄然，转头一看，只见他专注读着书，连理都不理我。我望了一望时钟，倏忽，已然过了两个小时。

他看书，我鲜少闻问。通常是，抬头一望，"今天念哪一本书？"他回："《封神榜》。"我应："噢，好！"另日再问："现在又看哪一本？""《隋唐演义》""噢，好！"改日，"《西游记》。""噢，好！"说来惭愧，除了"噢，好"，我似乎也变不出其他字眼。于是，好几个早上，我们父子遂各自安坐，彼此相忘。屋内寂寂，唯外头鸟声，新透纱窗，依然宛转。"又隔数日，我心血来潮，突然又再问起，他回说依然"《西游记》"，"怎么又是《西游记》呢？""因为，嗯……《西游记》很好看呀！"

是呀！《西游记》的活泼，《西游记》的万千变化，最可读之不尽。但是，薛朴更爱看的还另有一册，曰《中国笑话全集》。我不让他老看，但每回，若一声不响，闷着头，目不转睛盯着书本，猛不防地，乍然连声咯咯或是呵呵又偶尔哈哈，那么，准是又与此君相晤。笑罢，他还言道，下午要讲给姐姐听。

读书读乏了，他说要"练武功"。所谓"练武功"，多半是他看京剧学来的套式，抢枪舞棒之外，还练翻滚，也学劈腿。动作都不地道，我也没能力指导，但是，反正他乐着呢！久而久之，倒也还有些架式。此外，他也"骑马"，老从客厅厨房两处跑，手拿竹棍，权充马鞭，边跑边垫步；垫步时两手紧握，如握缰绳；起跑时，还先喊个"驾！"

"驾"累了，时近中午，他嚷饿。我做中饭。除了米饭，通常荤素两菜，多半还有一汤。吃饭之事，他多少遗传我，因出身寒微，故而好养。尝到菜，便喊，"好好吃喔！"啜口汤，又嚷："好好喝喔！"如此二菜一汤，其实清简，但因神旺，便胜似佳肴丰馔。

饭毕，我们到外头闲步。那时春天，中午不热，故可以外头散步许久。说是散步，其实，也还是我走我的，他走他的；我看我的，他玩他的。虽然偕行，多半时刻也依然是相忘。走走停停间，他蹲在路边许久。"看啥？""看蚂蚁。""大的小的？""大的！""好不好看？""好看！"又一会儿，树上有攀木蜥蜴，有墨绿，有宝蓝；菜园里有蝴蝶，有白，有黄，有凤蝶；阴雨天，路边蜗牛多；近夏时日，偶尔路上有辗过的蛇尸；水圳边有个大池子，里头鱼极多，有只大鸟会忽地从池中飞起，双翅展开，三尺有余，每回奋然起飞，薛朴都好大一声："哇！"

散步途中，稻田多，菜园多，果树也不少。过完年，梅花早已开过，先是李花，随即又有桃花；春风桃李花开后，不久又青梅累累；梅才转黄，桑椹就新红乍紫。而后，李子熟后桃子熟；桃熟甚香，颗颗绿底透红似胭脂。过阵子，莲雾花开，龙眼花开，有群蜂飞舞；再下来，盛开时犹似昙花的火龙果，也初初新有花意。于是，夏天到了。

如此一路观瞧，沿途顾盼，虽赏之不尽，但也终该转回家去。下午功课，是看京剧。薛朴年纪虽小，却颇有戏龄。从孙悟空看到赵子龙，又从武戏晋入了文戏，这回，他开始看杨延辉，也听诸葛亮。偶尔，我陪着看；多半，仍是他自己找光盘放。那阵子，他看《四郎探母》，最常是头折《坐宫》，看着看着，学裴艳玲哼了起来，"我好比笼中鸟有翅难展，我好比虎离山受了孤单……"我遂言道，等这个唱段学会了，就比以前的《三家店》、《甘露寺》又晋了一级，"你知道为什么吗？"他思忖了好一会儿，总算答道："因为，比较难唱呀！"

接着，他也看了孙岳的《坐宫》。我问道，"喜欢哪个杨延辉？""都喜欢。""有什么不一样？""裴艳玲比较好看，现在这个（孙）比较好听。"结果，他继续学唱，却依然学着裴艳玲。后来，他看《空城计》，头一回，嚷着无聊，再一回，静静看着不讲话。隔阵子，我听着杨宝森的历史录音，他过来问，听什么？我答："《空城计》呀！""真的？"遂抢着看戏词，也要听，结果一听，也说要学。我笑道，如果把《空城计》的摇板和慢板也都学会，那就是真正的高手了，"知道为什么吧？""因为，这个超难唱的！"

同样难的，是他背唐诗。看完京剧，我要求也背段书。他背书晚，姐姐同此年纪，早已腹有诗书，薛朴这"一介武夫"，却几乎才刚刚开始。头一天，要他背诗，简直痛不欲生！闷着头半个小时，哭丧着脸，直说背不起来。我笑着说："你不是很会背戏词吗？""因为戏词很简单呀！"我只好说："唐诗也不难啊！"

确实不难，三天后，他就进入状况了。有时挺快，转眼工夫，便已琅然成诵；偶尔较慢，磨蹭了许久，都还原句踏步。但总之，已不再边读边哭了。于是，他先五绝，后七绝，再来五律，接着七律，一路背将下来，便也五古、七古了。背久了，再看京剧，听到戏词，会突然惊呼："这好像唐诗喔！"而白天看花，晚上望月，也偶尔会乍然想起了某些诗句。更有趣的是，听戏听久了，自然跟着唱；但背诗，明明几个月前才刚刚哭过，却忽有一天，兴致满满，说他也要作首诗。"喔，你要做诗？"结果，只听他口中喃喃，很认真念了三句，又戛然而止，问他，再来呢？停了半晌，答道："我忘记了！"

——原载二〇一二年二月二十九日《联合报》副刊

诺贝尔文学奖之轻与重

孙庆余／文

莫言摘下诺贝尔文学奖桂冠，是中国人的荣耀，也是中国官方承认的荣耀。但中国及莫言本人必须同样承认，在已成一体的世界中，世界桂冠的荣耀包含责任。没有得到这项荣耀前，中国人充满沉重期待，但责任是轻松的。得到桂冠后，中国人心情转趋轻松，但责任却开始加重。

罗兰·巴特谈"政治性写作"两种基本类型：法国大革命式与马克思主义式。前者是流血祭礼式，为革命暴力及种种不人道行为辩护；后者是原则坚持式，一切被归入马克思主义既定框架中。前中国社会科学院文学研究所所长刘再复，在其当代文学史论著《放逐诸神》中指出，一九四二年《延安文艺座谈会讲话》之前，中共文学是马克思主义式，之后是马克思与法国大革命混合，文学为革命服务，其功能类似军队，努力寻找"历史罪人"，清除"反动力量"，以致文学中具有的同情心及人道热情逐渐绝迹，成为对人类不幸无动于衷的"冷文学"。

刘再复对八〇年代中后期新的大陆文学寄予厚望，特别推崇作家能从单纯反映现实的"第一视力"发展为穿透现实、表现荒诞的

"第二视力"，说他们是魔幻的眼睛，像陀斯妥耶夫斯基般自黑暗地下室看穿世界。他举出莫言与残雪两个例子。

刘再复的论断太早了，大陆作家这二十年的变化（尤其是深受后现代思潮影响，超过世界各国）犹如中国一日千里的变化。本质是农民及军人的莫言与本质是知识分子的残雪非常不同。虽然二人同被归类"感觉化"文学，但残雪暴露地狱黑暗却又渴望光明，如同她在《解读浮士德》中，把魔鬼梅菲斯特诠释为"本性就是爱"，把浮士德的追求诠释为"由生命的纵欲狂欢达到诗意的反省，在反省中认清人的处境……"莫言则把黑暗丑陋美学化、正当化，抹除善恶美丑界限，欠缺文学家应有的社会责任。

相当程度反映中国官方观点的《意识形态新论》一书指出，莫言的成名作《透明的红萝卜》津津有味地描写一些很丑的东西，美化尸体、粪便，以极不恭敬的态度写自己先人。五四以来作家共同尊奉的济世救民、教育民众、挞伐丑恶，到王朔、莫言都被反转了。朱学勤指出，八九十年代中国文学现象有两大核心，痞子文学以王朔为代表，土匪文学以莫言为代表；前者专注城里，后者主攻乡村；痞子是一种解构，解构现有秩序和传统，匪气是一种张扬，夸示人性原始与本能。

朱大可在《流氓的盛宴》中更揭露，莫言自《红高粱》系列起，就在他的乡村叙事上不倦行走，以强悍的暴力主义，铺陈谋杀、通奸、纵酒、剥皮、砍头等酷语，二十一世纪初更将这些逼入美学的极限（如《檀香刑》），屠杀变成一种非凡的技艺，观赏死刑则混合极度施虐与受虐的肉体狂欢（仿佛萨德）。

二十一世纪前夕，大陆学者提出未来要为中产阶级写作。莫言却反对轻的、软的、绵的（他所谓的中产阶级）作品，要用一种民间（民族）的东西与之对抗。而他的民间东西无非就是迷信及土改、文革时期淳朴农村最不堪回首的记忆。这些变态越轨的人性及极限人性，有任何伟大作家会从正面加以描述吗？

一九七〇年，铁幕作家索尔仁尼琴在其诺贝尔受奖词《为人类而艺术》中宣示，文学与艺术能拯救世界，全世界作家要"手拉手，完成我们沉重的使命"。一九七一年，拉丁美洲被殖民者良心聂鲁达在其诺贝尔受奖演说中强调，只有怀着火热的耐心，我们才能攻克那光辉的城镇，给人类以尊严、正义和光明。连西方当代社会良心加缪在一九五七年受奖演说中都表示，艺术是一种手段，能让同胞更清楚认识自己的真实处境，激励他们去奋斗。

诺贝尔桂冠既是文学工作者的无上殊荣，亦是沉重负担。莫言也许尚未料想提早获奖，但他既已得奖，就有"沉重的使命"，不能再"躲避崇高"（王蒙语），在反现代性及反中产阶级路上走得太远。现在是莫言及中国文学轻重易位的时候了。

——原载二〇一二年十月十六日《中国时报》时论广场

风回旋处，堪寄情思

斩断不必要的杂想，
以及蜷缩在过去不肯继续往前走的那个自己。
在这个纷繁的世间，
人与人的区别，
不过是有人为自己活着，而有人不能。

于心有愧

分手后的恋人，如何追忆曾经逝水的年华？

威尼斯的下一站就是米兰。我们当年从罗马入境，先南下再一路绕回北部，最终站在米兰出境。预计从米兰直飞巴塞罗那。人算不如天算，我们终究没有抵达朝思暮想的西班牙边境。

你为了工作必须临时折返台湾。我们只好不得不取消内陆航班的机票、西班牙所有行程的旅店、阿布拉罕宫的门票……我事先苦心规划的旅途，付诸东流，真真是起手无回。我满心残念，你却不改乐观地说："没关系，下次有机会再一起来吧"。

结果再也没有下次。

常听人说"分手旅行"，仿佛谶言。旅途随时会遇到不可设防的变化和磨难，那是最足以测探人心的关键。我们在米兰发生争执，我负气夺门出走，在街头迷了路，夜半才回到旅店。你心急火燎气疯了。直到回台前，我们都不言不语。

意大利，如此绮丽、浪漫的地方，我们却在这里大肆挥霍彼此的崇拜、信仰和爱意。以至于今后每每回忆起来，总是悲喜交集。奈何我们总是无法在爱情里成熟地沟通。人和人相处到某个境地了，似乎就开始产生厌腻、排拒，终而免不了分道扬镳，尤有甚者，老死不相往来。

人性最初辐射出来的纯净、极致与善意，真可以这样子被倾轧？分手后无数个夜里，我忍不住想拨电话问你，如果时光能够倒转，我们会不会再给彼此一次机会，在抛掷烟硝弹药之前，放对方一马？

你还记得位处南意大利的苏连多海岸吗？为了看蓝洞，我们从苏连多前往卡布里岛。大清早长途跋涉，搭乘游艇前往。那是一个自给自足到连精品店都一应俱全的观光小岛。难吃的意大利面摊令人失望，兜售商品的小贩像苍蝇穿梭来去，但那片湛蓝的海是怎么也忘不掉的记忆。

我们在长长的人龙里，意外获悉风浪太大，无法出海前往蓝洞的消息。事先就曾听网友说过，这辈子要进蓝洞还得看运气，不是有钱就能去。不少旅客连续乘兴而来却败兴而归。

我丧气了好久，明明艳阳高挂，何来莫名其妙的风浪。你提议说，不如先搭缆车爬到高处的安那卡布里逛逛，再下来碰碰运气吧。我们只好前往另一列人龙排队（只要是夏天，不管身在意大利的任何观光区，都不得不排排排排排队烦死人）。好不容易搭上缆车已是半个多小时后了。安那卡布里位于小岛的制高点，俯瞰而下，海洋和岛屿的轮廓更加清晰。除了精致的小餐馆、手工艺品店、任何可以想象得到的欧洲精品专柜，一字排开好不吓人。

恍如置身在希腊。小巧多彩的砖房遍布丛生，猫群毫不怕生出没在人群间，被喂食、拍照，好不幸福。我们穿梭在窄小的巷弄，底下不远处的海面上，隐约能看见，有几个金发洋人正在冲浪。路边的小朋友追逐嬉戏，人手一支意大利冰淇淋边走边舔好过瘾。

我满身大汗，风一搔来，清凉无比。两个小时后，我们下山。前往蓝洞的售票柜已经人满为患。匆忙挤进人堆里买票，准备出发。

蓝洞，顾名思义，其中因海蚀穿所形成的洞窟，受到光影的折射，呈现一片水蓝迷离的色泽，好不诱人。船夫边划桨边吟唱意大利的古老民谣，透明的波光近在手边，忍不住就想跳下去。为了来看蓝洞，折腾老半天（也花了大把银子），然而真正进去的时间，根本不到三分钟，简直所费不赀下不为例。

回程的路上，我们拐去那不勒斯吃某家地道的意大利披萨。听说克林顿当年有来过，后来茱莉亚·罗伯茨拍摄《享受吧，一个人的旅行》也曾在此取景。那不勒斯给人的印象就是"乱"。印象所及，村上春树曾在某本游记里写说，罗马的交通像蜜蜂成群吵杂而令人不悦。十几年后我所见的罗马，并没那么惊人，反而是那不勒斯不谋而合，人种混杂、交通慌乱。旅游书上纷纷告诫游客，南意大利比起北意大利的治安危险许多。我们小心翼翼，在乱七八糟的道路指标中，好不容易寻得目标的。吃饱喝足就再度上路，不敢逗留。

事后回想起来，在异地迷路的那些片段，印象总莫名深刻，反而不小心就本末倒置忘了观光景点本身的意义。再来就是一天之内往往流连好几次超市论斤称两，掐着计算器盘算物价汇率的时光。当年欧元一度涨至四十八块好可怕，预算有限（且泡面吃尽）的情况下，只好去超市东挑西捡找便宜。

去了欧洲才知道，身在台湾有多幸福（当下惊觉原来我好爱台湾）。水果、面包、鲜奶、优格，我们每天的餐点几乎都不外乎这些货色，只有在佛罗伦萨吃过一次牛排大餐。在台湾从未曾体验的小器节俭生活，一旦在欧洲却得身体力行。不瞒你说，这居然让我有某种贫贱夫妻（百事不一定哀）的快感。

身处满身体臭、人高马大的外国人之间，两个人在旅途上互信互赖，似乎有了相依为命、共体时艰的氛围。然而这种体验，有时是微小而确定的幸福，有时却是步步为营的考验。磨擦一旦发生了，杀伤力往往更强。

再多的爱也禁不住，一次又一次的龃龉，早晚都会失去耐心。我们别无选择，因为我们是伴侣。具体旅途的伴，同时也是爱情的伴。若是哪天不小心沦成了"羁绊"，这样的爱情就宣告病入膏肓了。谁都没有错，谁都不是明知故犯的坏人，我们只是无以为继了。

人类究竟可以物伤其类到什么样子的地步呢？

这么说来，当年回国之后不久，你选择用劈腿的方式对待我，似乎情有可原了？或是我冥冥中注定要被伤害？

《王牌冤家》可能是我这辈子看过最惊悚的爱情电影。描述未来有个科学机构叫作"忘情诊所"，可以协助自愿忘情者删除大脑中的情感记忆。整部片串联着男女主角邂逅、相恋的美好曾经，也不乏互相争执、伤害的片段。当男主角决定删除记忆之时，却暗自懊悔了。一场记忆的拔河于焉展开……

他们也曾经对彼此信仰过吧？曾经渴望生活在他方？渴望共组家庭、生儿育女，过着平稳的生活？拥有绝佳的默契和生活习性？这些决定彼此进一步交往的契机，何以到最后却烟消云散了？我们真的以为，错过了这一个之后，下一个会更好？

我也可以把你忘记吗？可惜现实之中并没有忘情诊所，否则我必定头一个去挂号。

爱情是最暴力的甜蜜，痛并快乐着。电影中，有句经典对白是"若我们可以重新来过……"如果那些记忆仍然存在，真的能够和好如初、破镜重圆吗？或者一切只是自欺欺人的童话？

有多少人可以跟你一起飞十几个小时前往遥远的异国，然后拖着沉重行李，找旅店，Check in，落脚，自助行程。若非有足够的信任和情感，又岂会开启这样一趟旅程？或者打从一开始就注定了，要以辜负对方为前提？

情何以堪。

出国前，你因工作压力而宿疾复发。我们挨家挨户，遍访盆地的各家医院，深怕出国病发就孤立无援了。撇开谁照顾谁不谈，两人相处总是该互相帮忙，没有谁天经地义非得帮谁不可，没有这回事。感情从来也不是论斤称两求取平衡等值的关系。我们向来不太跟对方耍客气，真正的感激是无需言谢的默契。

两个人要是太熟了，反而不好意思说出太煽情的话语：谢谢、不客气、我想你、我爱你、你想我吗、你爱我吗……

有些话在日益失修的日常生活之中，情同多余的赘字，被渐渐遗忘，嘴唇甚至忘了词汇的发音。每部爱情字典总是从最初的"满纸荒唐言"，翻到最后只剩"一把心酸泪"。

事发之后你硬要我原谅。有些事可以原谅，但永生难忘。你知道创伤是怎么来的吗？你并不知道。给予创伤的人永远不会理解接受创伤之人，何以深陷创伤的泥沼无由自拔。某种程度而言，像你这样的人是最残酷的吧。

在日本，似乎被默许某种理所当然的不伦文化，偷吃劈腿如家常便饭。人性所能挑战之极限，都在伦理纲常的背面被反复实践着。乍看最有礼节的背面，原来才是人性罪恶之渊薮。或者说，日本人其实比较坦然面对人类的欲望。如果我们无法从一而终，何必对感情投奔信仰？找个炮友发泄生理不就够了？或者碍于寂寞难耐，人终究还是需要一个信靠的对象，搁在身边随时拿来背叛？

分手后，我总是揣想着，当时你究竟是以一种什么样的心境，从我们的圈圈（或者囹圄）里义无反顾跨出去？你曾经犹豫不决吗？归来也无风雨也无晴之后，从此，你就得像个精神分裂症患者在我面前演戏，戏一旦开始，就非得撑到落幕不可。

你可曾于心有愧地想过中途喊卡？

前前后后，我给过你两次机会，却只是徒劳。我不懂，你怎能轻而易举跳脱常轨，简直如入无人之境。

当时，我眼睁睁看着另一个人，离开属于"我们"的房间。该说是早有某种哀愁的预感吗？那趟意大利之旅令我预先做了心理建设。旅行的意义即是，犹有自知之明地离开。

离开。自尊心严重受创，谁还有脸留下来。那像电影情节般的残酷场景，活生生自我的生命中具现，逃无可逃。我没有被征询过意愿，也没有坚强的意志，就被推上台即席表演。我只是一个平凡而软弱的男子，憧憬过稳定平凡的爱情，向往着简单诚恳的伴侣。我不想演戏。

我封锁了所有联系，像是断尾求生的壁虎仓皇走避。更具体的形容是，哪怕感情状况步入低谷，却仍藕断丝连，如今快刀斩乱麻，情同剪去了脐带，从此你我两人宣告独立，再无瓜葛谁也不欠谁——不，你欠我一刀才对。

心软者如我要做到这般地步，万分要命。眼泪与酒精的消长关系，在我夜不能眠的身心交替互补着。

你不死心，夺命连环Call。你要自由我还你自由。我不知道你还要我怎样。

忍不住接起电话，用仅存的意志力对你说：我恨你（其实我更想骂声三字经，但我醉翻了的大脑完全不听使唤）。

其后，我的人生步入遥遥无期的冰河期。世界末日与冷酷异境。万年寒窗。无人可问津。最低洼的时刻，我讶异我居然还能想起零雨的诗句："亲友旷绝。"在盆地南端，夏季多雨潮湿的房子里，把冷气开到最低温，彻夜放送，我就这样心有罣碍地让自己变成冬眠的熊，从此足不出户。坦白说，我是从那一刻开始才充分地学习当一个宅男（我应该感到荣幸吗）。当了宅男之后就是无穷轮回地宅下去（我应该向你鞠躬致谢吗）。

无间阿鼻地狱无止无境无休无歇。我拒绝所有外来的嘘寒问暖，眼前最不需要的就是关心与慰问。雪融以前我不需要阳光。在劫难逃的时候，任何帮助都显多余。只能静静地等待死亡，小小的，寂寞的，抽象的，死。死而复生或有破茧的一天，但更多的可能性是胎死腹中从此寻无救赎。

那阵子我最常做的事就是眺望坟墓。边境的山区总有成群成落的乱葬岗，上面抄满潦草的碑铭。我摘下眼镜以退化的裸视凝望。人何寥落唯有鬼多。他们懂我。他们爱我。鬼若多情亦为鬼，人若多情不成人。我没有选择。影子与鬼，是我的温存。

日复一日，夜复一夜，太阳穿过破损的纱窗爬过脸颊，像要在我脸上烧出洞般炙烧，我在蓬门酒臭中醒不过来。侥幸醒来了就坐看一整天的山坟，想着把那碑上的草书全部临摹几遍，把山的躯体掘出一个巨大的土坑，掩埋我自己。我真的万分认真想象过。我甚至兴冲冲跑去附近的全联买了好几包炭。店员瞧我面色土灰，差点吓得以为我要抢劫。

你的夺命连环Call仍没日没夜地响彻我桌上的手机。我把铃声切换成震动，但不关机。我当时的潜意识是否企盼任何扭转乾坤的转圜？我想我只是耽溺在自虐成性的快感里，测试一个人在伤心欲绝之时可以痛到什么地步。

很长一段时间，我忘记你这个人的存在。那就像是剥开免洗筷的包装忽然被刺到，然后边骂声干边性急地将刺剥离、丢掉一样。没有任何理由，让你继续存活在我的脑海。没有。

后来不知何年何月，当我从漫身恶臭的迷醉中苏醒，发觉自己苟延残喘熬了过来。我没有烧炭。没有死。我还是我，但不是原来的了。

即便被我绝情地切断联系，你仍几度积极地表达关切。"至少继续当朋友，好吗？"我有义务要答应这项请求吗？我并不想当翩翩君子。在我看来，这要求和你当初不顾一切出轨同样可鄙自私。受伤之人总有权利躲起来静静疗伤吧。既然做不成情人了，遑论朋友。当初你辜负了我的信任和感情，如今何以要咄咄逼人，连我仅存的尊严也要剥夺殆尽？

电话仍然时常响起，我没有删去你的号码，因为我要拿来铭印这伤痛。我用长长的沉默当作抗辩。于是，你开始尽可能释放前所未有的善意，只为了见上一面。

我终究还是心软了。

姑息了一段若即若离的关系。此后交流，你总识相地点到为止，从不逾矩。也罢。偶尔同桌吃饭，很是尴尬。更多时候我们倾向去看电影。任那些快速流动的画面和对白，填塞面面相觑时的不知所措。奇妙的是，我们之间竟无人率先逃开这样的窘局——既非重新开始（起手无回大丈夫），也不是一笑泯恩仇（我毕竟没那么博爱）。而是狭路相逢的陈年仇人，论剑长短不问是非。从你身上我才了解到，恨一个人也是需要动用真感情的。

再后来，将近一年，我们习于如此常态，并且相安无事。

某回，你故作神秘地约我在某餐馆晚餐。刚好我也有事想宣布。席间酒水下肚，上菜之前，你说你升职了。我真心献上祝福，同时，报以新恋情的消息。你脸上倏忽写满错愕。你故作镇定问起我的新对象。我淡淡答，很好，你会祝福我吗？你穷追不舍渴望探问更多细节。不知何故，你被调查局探员附身似的，对长相、年龄、职业异常感兴趣。我回以"对方很低调，不愿透露太多细节"

为由，选择性地释出官腔。

选择告知是因为，今后我必须终结与你这样若即若离的异质关系。恰好你升职，我投奔新恋情，如此完美的分水岭。只见你坐立难安，几度离身如厕。你的表情好像是曾经拥有的玩具，拱手让人了之后，仍有不服输的赌气。

我视若无睹。

你若是在此时此刻才感到于心有愧，觉得对不起我了，恐怕为时已晚。回到朋友的这一条线已经是我的极限，不可能再回去更多了。我不确定下一个对象是否会更好，但我必须告别过去，否则前方的路我怎么也走不下去。

"若我们可以重新来过……"

若我不曾遇见过你，该有多好。

——原载二〇一二年三月二十六日《自由时报》副刊

无名浴伴

景翔 / 文

这则小小的插话和写诗无关，却的确发生在那段日子里。以现代同志的眼光看来，也许会觉得匪夷所思，甚至荒谬得难以相信。但在那无知、无胆、无经验的"三无状态"下，只更让人有无力和无奈的感觉。

我的宿舍在小军区里，和一位以军为家的退伍编译官陈老先生同住。房间很小，两张单人床，中间夹着一张小书桌。是两人共享的，所以我常到办公室去写稿，而没有怎么陪陈老先生聊天。这样一个如英国俗语说的"连耍猫的地方都没有"的狭小空间，当然不可能附有卫浴设备，必须到外面使用公用的厕所和浴室。

据说海军的阶级分得特别清楚，士官和军官各有专用浴室。士官浴室里是一个大水池，洗澡的人围在外面舀水来洗；军官浴室则是一个大房间里沿墙装了一排莲蓬头，两两之间没有隔板，甚至连布帘也没有。但是在这样一个春光无限好的地方，反而不能东张西望，不过洗澡的时候也不见得一定面壁之外只能眼观鼻、鼻观心，眼角余光还是看得见左右邻近的人。

不知道什么时候开始，我觉得在我左边的人常常换动，右边却似乎一直是一个熟悉的身影。

这种事一旦注意到了，就会留心。经过好几天，证实了的确如此。

每次我开始洗澡一两分钟后，他就会进来站在我右侧。和当时偏瘦的我比起来，他的身材要壮硕得多，也许是因为年轻的缘故，有时会有生理反应，则每每让我想起"伟岸"这个很少用到的形容词来。

他为什么会固定站在我身边？当然可能是习惯于用那个莲蓬头，就像我习惯于用我的这个莲蓬头一样。但我还是有些别的想法，因此在一天人比较少的时候，我刻意地向左移了三个位子。开始洗澡没多久，他就进来了，一直走到我旁边。

所以他是习惯于站在我右侧？

我当然对他很好奇：他也和我一样是预官吗？还是军校毕业的正期生？官阶是什么？在哪个单位？叫什么名字？

我还没见过他的长相呢。

更重要的是：我怎么才能认得他？

我想了很多不同的情况和开场的话，但从未和陌生人主动搭讪过的这件事，却让我始终跨不出那一步。

时序入冬，即使是在南部，天气也相当冷，军官浴室每隔一天供应热水。可是我是个每天一定要洗澡的人，因此每两天得忍受一回寒天冲冷水的刺激。像我这样的人不多，有时甚至只有我一个人。但不久以后，那位浴伴也开始每天报到。结果有一天整间浴室里只有我们两个人。

我们当然还是各洗各的，然后我突然发现在冰冷的水冲洗下，他居然勃起了。我正在考虑该不该抑制自己的反应时，却听见他发出一声闷哼，侧眼望去，不禁被眼前的景象吓得呆住了。我没有想到他的反应竟然会如此之激烈。

我还没回过神来，他已经转身，快步地走了出去。这是他第一次比我先离开浴室，而我愣在那里，甚至不敢回头去看他的背影。

第二天是供应热水的日子，浴室里的人很多，他还和以前一样站在我的右侧，之后也一直如此，只是冬天不供热水的时候，再也没有出现过了。

时间过得很快，我退伍的日子越来越近，但始终下不了决心把心里所想的付诸实现。等到退伍的前一天晚上，在浴室内仍然想着这件事，然而明知是最后的机会，却还是直到洗完澡，出了浴室，依旧鼓不起勇气。回到宿舍里，陈老先生正在等我。他拿出一个小纸包给我，说："你明天就要回家了，这是我送你的一点小东西，做个纪念。"

我打开小纸包，里面是一本梁实秋先生主编，远东图书公司出版的袖珍英汉字典。其实以我当时的程度来说，这样的小字典用途不大，但是那份心意却让我很感动，除了谢谢他之外，我也很不好意思地说："对不起，我的私事太多了，这几个月来我都很少陪您聊天。"

陈老先生说："哪里，你还是和我聊得最多的几个小朋友之一，而且和你聊得很愉快。"

我突然想起不知是戏文还是小说里的一句话："铁打的营盘，

流水的兵。"以军为家的陈老先生等于是营盘的一部分，来来去去的预官则真如流水一般。只希望以后来的人比我私事少些，也比我更体会到老年人的寂寞，能多陪他说说话。

至于那位无名浴伴，要到多少天之后才会意识到再也看不到那熟悉的身影了呢？到那时候，他会不会也像我一样觉得有些后悔和遗憾呢？这些问题随着我退伍返家，再也得不到答案。

——本文收录于二〇一二年七月出版《长夜之旅》

今昔惊梦

亮轩 / 文

在写这一本书之初，每天清晨七点，我就到了这个院落，台北市青田街七巷六号，整条巷子绿荫参天，那是冷冷的深秋，我一早就开始写作，写这一座日式木屋在记忆中的种种。

我想我可以来得更早，像当年的父亲一样，清晨五点就起身，做了运动，立刻开始工作。早起跟狂读书狂工作，就是我从父亲那儿学来的全部了，虽然是否刻意地学他，自己也不怎么清楚。但是这里，青田街七巷六号，再也不是我的家，不仅是产权，使用权也不是我的，更没有参与经营。黄金种子他们让我可以在七点到这里工作，是他们的善意，大概是体谅我在这里写作比较不会找不到灵感吧？为我开门的水瓶子先生，六点多就要起床赶来，很不容易。通常他打开了大门，也就离开此地，去忙别的事了。我一个人可以短暂地拥有整座屋子，直到十点。

那个时候，我总在计算机前面，忘我地浮沉在过去的岁月与感触中，活在四五十年前的青田七六里。我听得到父亲那双皮拖鞋踢踢踏踏走来走去的声音，还有他那伴随着我整个童年与少年的打字机的劈劈啪啪。我又见到我那一生都在失意中的姑父，他在长长的走廊上跟我错肩而过，就像他跟别的家人一样，视若无睹，谁也不搭理谁，影儿也似的疏离与飘忽，然而我忘不了他那愤怒中空空茫茫的眼神。他不想在这里，却不得不在这里，生命之于他已无任何可自主的空间。要是我，就会一走了之，接受贫困、痛苦、寂寞，乃至于死亡，我不会让自己活在这样的、几近绝望的氛围里。然而人人有他自己的不舍，他就这么样地活了那么不见天日的一生，短短的五十八年，比我目前的年龄还要年轻十二岁。我看到了在再也不可能回复成为花房的，今天经营者称之为"阳光屋"的那边，已经半夜了，姑妈还踩着缝纫机，嘎啦啦嘎啦啦……为六个不断长大的孩子做衣裳。我看到了自己躺在现在已经连屋子都不见了，夹在阳光屋跟榻榻米屋中间的小房间里，被姑丈姑妈又吵又打的声音吓醒，中间掺杂着表弟妹的哭声。我也看到了这里曾经高朋满座的黄金时代，父亲爽朗的笑声在高大的树影间回荡。我嗅得到当年一进门就扑面而来的七里花香，夜晚从花台上传来的夜来香，还有在睡梦中缭绕的茉莉花香。当然，那一池睡莲是我永远的记忆，在如今，只要见到一两朵贴水浮动的莲花，刹那间便坠入童年，烘烘然的暖意，刺眼的阳光，寂静的午后。

　　正写得入神而忘我，不用看表就知道，上午十点到了。青田七六要在上午十点开门，接纳四方来客入园参观，虽然离供餐时间还早。耳边嗡嗡然的声音唤醒了我，悠然回到当下，我坐在客厅当年父亲打字的位子上，声音吸引着我抬头观望，只见院子里已经人头浮动，男女老少，自然还有人往里面张望，指指点点。有的用手机拍照。场面更大的是来拍婚纱的新人，打反光板的、补妆的、牵纱的、摄影的、指挥的，七八个人呼来喝去，引来更多的看客。

我就会想起了童年，父亲正在客厅里打字做研究，我们小孩子只敢用最轻最轻的脚步走路，生怕打扰了这位无上权威的地质学者，虽然我们也不知道他的伟大是怎么一回事？我们受不了这样子窒闷的气氛，就索性出门去野去。

但现在的世界不一样了，我安静地看着他们，希望他们看得满意，还肯再来。要是父亲还在，包管踱出屋外，挥挥手直问看什么看快走快走！

我依然用着他们允许的十一点之前的时间拼命赶工，耳边听到有人说，这位先生请你让一让好吗？眼前就出了那一对拍照的新人，工作人员要我立刻腾出空来，他们看中了我坐的位子。我在一叠声的对不起中让座。开放拍婚纱，也是经营者的营业项目，生意比什么都重要，我最怕挡人财路。青田七六，是别人的店，不是我的家。

我当义务导览，免不了为参观者签书，偶而多签几本，耳边就听到一声对不起，我要备餐了。原来十一点半开始供餐，十一点就要把座位空间还给服务生。这样的事情遇得多了，后来也有了对策，在一开始导览就先问有没有人今天中午在这里订餐？于是常常利用客人订的座位签书，不太会受到服务生催赶。

有的时候我也会在此地用餐。朋友有的远从国外回来，打个电话给我，说是"想去你们家看看"，我乐于作东，虽然不见得能把"不是我们家"的这一件事说清楚。有的还是当年曾经到这个院子里一起玩过的老朋友。我们在老屋中相会，惊见彼此的白发与皱纹。

每间屋子里都是食客，听说常常满座，那么，每天就有上百位访客来往入座。父亲最终的十年间，直到他去世，加在一起也没有那么些人到访过。他在病床上的最后几天很受了些礼遇，一部分的原因是，对岸中共对他的病与贫很做了些指责国府当局的宣传。

餐桌餐椅餐桌餐椅……布满了全部的屋子，书房、卧房、客厅、花房、小孩房，还有在院子里原先的游泳池上，当然更包括了餐厅，全都成了用餐的地方，所有的来客到时候只是低头吃吃吃的。他们彼此不相干，只顾聊自己的吃自己的，我走过每一间屋子的门口，这些真实的场景，对于我，比什么荒谬的梦境都要荒谬，这就是我的人生吗？对于当下自己的存在，那个我，不住地怀疑着。

是啊，这个屋子曾经满满的，似乎在任何一处可以藏书的地方都藏满了书，有各种不同文字的古今图书。走廊上方依然见得到一长排桧木的书架，花房两边耸立着快碰到屋顶的大书橱。小孩屋的墙面是几层书架，也一直连到天花板，都是书。一进门通过玄关右手边拉开拉门，可以看到堆得满满的书，是当年齐世英、雷震等组织反对党的时候的藏书，这个柜子，总让我想起这一群想要跟老蒋对抗的书生。还有在今天的客厅里，我从小到大，六十年间都舍不得扔掉的桧木书橱，有印花的玻璃门，我跟黄金种子他们说，只要你们在此地经营，我这件最宝爱的就放在这个客厅里。那是日本时代足立教授的书橱，今天，连他的儿子也都辞世而去了，这一台书橱，还有机会回到我的身边吗？

感谢父亲无所不容的藏书，让我一生嗜读如狂，因而无视更无觉于现世诡异的风浪，丝毫无悔地当了一生简单的人。

但是这些书都不见了，青田七六的最后，有两年的时间荒废无人，所有留下来的大小物事都被不知道是谁搬运一空，好在我还留着几册父亲的藏书跟大字典，可以为这个称之为马廷英故居的地方，做几个微小的批注。

许多当年从不会怀疑会不见了的，现在却无影无踪了。比如说，任何一个亲友都可以不经约定地到你家作客，任何一家的小孩都可以爬上任何一家的屋顶上玩，任何一家的果子任何人只要摘得到，都可以摘来吃。我们院子里原先有两棵槟榔树，任何人想要，都可以敲门探问。中秋节，我们是真的在月下围坐，中间一方凳，摆着里头有猪油的甜甜的月饼，还有水水的白柚。大人小孩摇着一把扇子，时不时地抬头看看当空皓月，想着嫦娥还是那只兔子，我们就是这么样地度过了中秋。那个时候没有人在这一晚要烤肉，保证全台湾都没有。更不见电视台的综艺晚会，那时连收音机也未必家家都有呢。我们小孩子安安静静地享受着难得的月饼跟柚子，静静地听着大人说回到大陆之后要怎么样怎么样，老小都信以为真。我们从来没有怀疑过"台湾是一艘不沉的航空母舰"，在那样浓荫蔽空，飞鸟往复，只有轻寒没有冰雪的世界里。

至今我还会捂着双手吹出号音，那是小孩子呼朋引伴快点出来玩的暗号。在整个台北市的地图中都不起眼的那么一点大，今天绕上一圈也用不着十分钟的青田街，却能让我们玩上整个暑假，天天新鲜。特别是男孩，为了一场枪战，想要伏击对手，常常翻墙进入无来往的人家院子里，很少让人赶出来。想来主人也都认得我们，也就同样地放纵我们。

小贩的市声远远近近，从早到晚不绝于耳。卖布的，磨刀剪的，卖油茶的，卖馄饨的，补破碗的，卖棒冰的，卖冰淇淋的，当场为你做爆米花的，卖烤红薯的，拉着一座小庙也似的大木橱、里头有上百种酱菜、摇着一个小博浪鼓的、晚上还有吹着短笛的盲人等着有人唤他来按摩的……他们都到哪儿去了呢？有人还记得他们的呼唤跟特制发声招揽的器具吗？

后来方知，那些邻居有不少都是近代史上的大人物。我们在青田街口看到光头白须的于右任，从没想到几十年后痴迷他的书法到了不行。有一年去南京中山陵，看到了他的蜡像，方知他在革命之初是办报救国的先驱，辈分比蒋公还要高呢！难怪他过生日蒋公都要来贺寿。买了姑丈的房子的是陈果夫，跟他的哥哥也都是国民革命老将，蒋公也会来拜望他，于是就有一两个小时巷头巷尾站满了军警。他家的斜对面是甲骨学大学董作宾的寓所，许多年后，我才知这一位常到我们家与父亲谈话的老人，是把中国的信史延长了几百年的大学者。就在我们家的斜后方那个院子，是"蓬莱米之父"矶永吉的住所。而在董作宾的隔壁，是戈福江先生，一位农业专家，他的女儿是我小学同班同学，戈伯伯总是骑着一辆脚踏车来来往往。直到读了齐邦媛的《巨流河》才知道，原来戈伯伯开发出来了许多富国利民的畜产技术，仅仅一种特殊的防疫酵母粉，就使得台湾的养猪业一飞冲天，政府所收的屠宰税，便足以支付全国中学教师的薪水！在青田街还住过台大的校长陆志鸿，文学院长沈刚伯，空军总司令徐焕升，教育部长钟皎光，史学家也是敦煌学的权威劳干，他的女儿劳延静是我小学同班同学。还有地质学家林朝棨，水利工程专家、石门水库的总工程师金城，驻日大使张厉生，数学家沈璇，担任过中央日报社长的阮毅成，他的儿子阮大仁也跟我是小学同班。还有在电台讲古的史学家师大教授陈致平，他有一位有名的女儿，笔名琼瑶。还有一位章嘉活佛，他圆寂火化之后，留下好几千颗舍利子。记得许寿裳吗？那位与鲁迅关系匪浅，至今死因让人怀疑的台大中文系主任？他曾经在青田街六号，也在那儿遇害。他是台大校歌最初版本的作者，后来却被废掉代之以现在的校歌。

在日本，一座小小的庙宇，就可以写成厚厚的一本书，图文并茂。青田街的这些过客，要是通通写下来，足可以成为一大部近代史的传奇故事。

留下来的只有记忆，也只有记忆可能留得下来，那么，只有记忆才是真正的存在。也许可以这么说，一个人为后来的人留下了什么记忆，就是这个人的全部了，跟他自以为是谁一点关系都没有。而一个人自己拥有什么样的记忆，就印证他是什么样的人。要是我们说，一个人应该记忆下来的却没有记忆下来，也许，这样就构成了生命的残缺吧？扩大到整个社会，又会是什么呢？一个没有记忆的社会，是完整的社会吗？

这样的问题，对于我这样的一个古稀之年的老人，也未免太沉重了些，其实也管不到了。每个时代的人都有他们自己的苦乐与承担。穿着木屐可以绕遍整个台北的日子再也不会回来，便是那种用车胎跟木板钉成的木屐，也是再也找不到了。那天在一处观光区见到了许多很不一样的木屐，就说，我们从前的不是这样子的，售货员说，你说的那种我们没见过，就是有，也没有人会买了。这一句话，道出了大半世纪时代的变迁。怀旧，可以，复旧，不可以。在青田七六，我曾经好几次请教来客，这儿的餐饮真的很好吗？因为古迹保护法，这里的烹煮与服务，有其无法等同于一般餐饮的限制。但是几次下来，我得到的答案都是不约而同地说，我们爱这里的气氛，不只是为了吃才来的。你不觉得吗？他们甚至于会反问。

在导览的时候，我有时会讲到父亲的学说，那有名的地球刚体滑动论。一边说，一边想着父亲，他真的有知的话，恐怕会制止我讲下去，他一定说你说的不对，事实上不是这样的。好嘛，就请您老人家亲自来说吧。我保证，他说的没有任何一个人听得懂。事未易察，理未易明，便是同一家人，记忆、理解、判断，也会有许多的出入，我们说得出的，跟我自己的记忆有距离，我们记忆中的，跟当年的情况又必然不相等。此时记下的，未必在将来有同样的认识，要我说出全部真正的青田七六的故事吗？不可能。

怕不有十年以上，在黄金种子邀请我参加开幕典礼之前，我从不会打这个门前经过，那样的荒烟蔓草，自从我的异母弟妹被逼得搬出去之后，我连探视他们都不忍，何况还要再回到这个院子里来？原先以为，青田街七巷六号的结尾，应该就是这样了。哪晓得还有开朗的续集？乍然之间这两百平的老屋居然变得热闹滚滚，而我，每周一次的义务导览也成了生活的一个重心，世事难料，无论是好是坏。青田七六的故事是说不清也说不完的，还在不断地延展变化，或归于沉寂，或另折高潮，谁知道呢？只有一件事可以确定——我们都是过客。

——本文收录于二〇一二年七月出版《青田街七巷六号》

浴女图

田威宁 / 文

　　前些日子和朋友聊到洗澡的癖好，从用不用沐浴巾到惯用哪种沐浴乳都巨细靡遗地交换心得。朋友说："泡澡最舒服了！你喜欢吗？"我说："喜欢，但更期待被刷背的感觉。"朋友又问："你被人刷过背吗？"我摇摇头，之后，才意识到脱口而出那句话的意义——原来我一直记得那名女子，尤其是她刷背的姿态。

　　那女子浑身散发一种发自内心的百无聊赖，所有的表情都设定了观赏对象为男人。尽管曾同住两三年，但年久失修，她的脸渐渐成为雾后的轮廓；但记得她的妆非常厚，用色浓艳，不常出门，在家也戴着妆。回家时只要看到家里的窗帘全放下，就知道她在家。我们不可任意拉开窗帘，否则她会边倚着墙观察对门是否有窥奇人士，边破口大骂。她骂人时喉咙会变紧，声音飙高，眼睛突出，额侧青筋暴露，像是《聊斋志异》中被道士揭穿身份时的女鬼。

　　我曾经怀疑为什么父亲会让她住进来，那女人看起来不年轻了，但我知道她的心细如发。嗜吃甜食的父亲自小牙不好，她会把甘蔗切成小拇指般的小段，让父亲吃得优雅与从容；不吃冷菜的父亲喜欢上馆子，于是她下厨时便是一道一道地煮，一道道热腾腾地端上桌。即便有醇酒与妇人等着，父亲仍然不常回家。家中唯一不习惯的，其实也只有自以为从了良的女子，可惜父亲从来不是个良人。

父亲不爱回家，若在非常偶尔的时候回来了，爱干净的他总是先洗澡。每每洗到一半，浴室会突然开一道口，蒸腾的白雾与热气从中窜出，后头是一线父亲全裸的背影。之后，女人便会进去帮父亲刷背，半裸着。大概是因为当年我只是个小学生，这一切都在我眼前发生，毫无遮掩，服务与被服务的人一点儿都不别扭，反倒是我每次都借故走开，并不忘在离开前以一种最漫不经心的姿态再多瞥一眼。

一个平凡的夏日夜晚，闷热湿黏的空气将人渥得昏昏欲睡。正当意识濊漫之际，从浴室传来一声不寻常的声响，我和姊姊赶紧冲过去。浴室的门半掩，白茫茫的雾气蒸腾，莲蓬头垂挂在浴缸边，冲着地板的白磁砖，以及绕着排水孔旋着的鲜红水流。女人套着印着扶桑花的白浴衣，坐在满水的浴缸里，仰头，侧着脸，睨着我和姊姊。她垂在浴缸边有道深口伤痕的左手，以及左手下方的地板上那支深蓝色的刀片式刮胡刀，让我和姊姊瞬间睡意全消。我两脚发软，眼前突然一阵黑，在几乎要晕过去的同时，依稀听见那名淌着血的女子不疾不徐地发号施令："别愣在那！快打电话叫爸爸回家！"

在那个移动电话俗称黑金刚，一支重达几公斤，且要价四五万元的年代，父亲就有一支。我颤抖地按下那串熟悉的数字，却连续按错，在千钧一发之际还打错电话，让我又气又怕。父亲的声音终于出现的时候，我几乎是声泪俱下地说："阿姨躺在浴缸里……手上流好多血。阿姨叫我赶快打给你！"父亲听了，以一种我至今仍感讶异的镇定语气淡淡地说："知道了。"不过父亲没有接着说他会赶回家，便径自挂上了电话。

救护车的喔咿喔咿划破了夜晚的宁静，也拉开了家家户户的窗帘，亮起了公寓格子的灯。那晚，我和姊姊在人墙与七嘴八舌中进了救护车，苦着脸陪那女人到医院，一路上担忧极了，只要没听到担架上的女人浊重的呼吸声，便惶惶不安。阿姨的伤口缝了许多针，包扎好，也就回家了。当晚父亲没有回来，隔天与之后几天也没有。

放学回家，总看到邻居们聚在对面的杂货店，挑着眉瞪大着眼指着我家交流信息。她们看到我经过时，总是有默契地停下话题，从头到脚地打量着我，眼神贴在我的背上直到我拿出钥匙转进公寓的大门。我上楼后，也开始会主动检查家里的窗帘拉得是否够严密。那段时间，我不知不觉地会贴着墙，从窗帘和窗子的空隙往下窥探。

父亲终于出现时，房里并没有传出剧烈的争吵，而我又看到父亲在浴室的背影了！女子半裸着，殷勤地拿沐浴巾搓揉出白棉花般的泡泡，以一种娴熟的节奏感帮父亲刷背。即便只是雾气蒸腾中的背影，也透露出父亲是正享受着的。若不是女子左腕的纱布和胶带，我大概不会记得中间发生了什么事。

之后，接连几次，女子又在父亲缺席的夜晚，和着浴衣，蜷在浴缸里淌血了。我不再为此全身颤抖，眼睛也不再噙着泪。看到女子腕上汩汩而出的殷红时，仿佛见到许多红缎带披垂而下，在白磁砖上绘出一幅妖艳的画。眼前的浴女呈现一种庄严的姿态，只要父亲看到那幕，他必定会跪在浴缸边泫然欲泣。依着浴女的指示，我打电话给父亲："阿姨在浴缸里。她问你会回来吗？"父亲依旧是木木地说："我知道了。"之后当然就没下文了。

那些夜晚，我和姊姊都是在议论纷纷中一头钻入救护车。在疾驰的车上与高调的鸣笛中，我的脸一次比一次夸张地高高堆着难堪与不耐烦。那女子在担架上始终睁着眼，不停地问："你爸知道了吗？他有说要回来吗？"我不知该不该说实话，而她仍急切地问着、问着，话语悬浮在车厢沉闷的空气中，没人伸手抓住。在救护车的喔咿喔咿中，我想着这一切真是徒劳，我累坏了，有几次竟靠着担架睡着了。女人的表情看来既凄凉又坚强，令医生反而担心起她，皱着眉说："希望这是我最后一次看到你。"

其实也不过隔几个月吧，换另一个女人住进来了。我一样在浴室的一线空隙中看见父亲全裸的背，新人身上是件酒红色的新浴衣，也半裸着，然而刷背的节奏不甚流畅。莲蓬头下哗啦啦一阵骤雨，一股热气传来，在烟雾蒸腾中，不禁让人想起那个总是贴着OK绷或纱布的左腕。

某次，无意间听见那名娴于刷背的女子在进酒家前是在当护士，那也是唯一一次听到父亲提起已成为过去式的人。父亲把刚沏好的茶徐徐地递给朋友，不带任何表情地说："所以她不会真伤到自己的。"

——原载二○一二年五月十七日《联合报》副刊

黑暗里，一盏一盏的灯

张毅 / 文

"因为琉璃工房要求读好多书，所以我要离职。"

听说这是最近很多伙伴离职的理由，听后，觉得哑口无言，

在这崇尚自我的时代，到底还能说什么？

小时候，家里大人都说，好好念书。

为什么要好好念书？还没有说清楚，人就长大了，学校，好像就成了好好念书的同义字。那么，在学校里好好念书，好像也对"好好念书"这件事，有了交代。

年纪大了，回头想想，学校里到底念了些什么书？回想得起来的，实在不多。

为什么？自己年纪不到，听不懂；其次，有能力说得明白、能说到每个人心里去的老师，难遇。更要命的是，学校，至少在我的年代，是个以考试为目的的地方，上学，全是为了考试的手段而已；为了考试，书全拆成了一题一题试题，没有什么和生命攸关的内容，也没有人想知道你的疑惑。

学校为什么不教"爱情"？

今天，回想起来，觉得学校为什么不教"爱情"？

或者，教教大家"死亡"是怎么一回事？如何面对死亡而不害怕？谁答得有条理，谁就可以及格，而不是努力地计算着：鸡兔同笼，计算一百零八条腿，问有几只鸡？几只兔子？毕竟，真实生活里，鸡和兔子很少关在一个笼子，但是，爱情、死亡种种，经常碰得上。

离开了学校，很多人理直气壮地不读书了。理由是生活的现实压力好大，而为了谋生活，工具书成了唯一好像不得不读的书，"如何在三十岁前成功"之类奇怪的书，堆满了书店。

人生的路，每个人就兀自向前走，每个人自求多福。

生活一旦面对抉择，心里甚少可供参考的价值观念，只有诉诸生存本能。活着，也真就只是活着。福气很好的家庭，虽然有时候不见得有什么明明白白的祖庭宝训，但是辈辈"宽以待人，严以律己"之类的身教，足以让后生晚辈耳濡目染些智慧，人间行走，不至于惹些惊世骇俗的事端。

然而，时代毕竟进展惊人，一个人要面对的适应问题，夸张一点说，简直是光怪陆离。见过我师祖辈的长者，即令今天，进了公共场所，见有人戴着帽子，必然克制不住地要上前怒训之，要人家摘下帽子而后已。我们当然知道在餐厅戴帽子算什么？还有人戴帽子主持节目呢！这是无关紧要的例子，死不了人。每个人都在每一天学习适应他不了解的情况，但是，严重的问题呢？

譬如，为什么我不快乐？

二〇〇四年，台湾大学调查十八所小学二千零七十五名四年级学生，结果显示近百分之二十的小学生产生过自杀的念头。

我们看过多少身边的人，因为管理不了情绪，付出扼腕的惨痛代价？莫说别人，每个人检视自己回顾走过的路，都少不了怵目惊心的历程。说日子是步步地雷，一不小心，随时粉身碎骨，可能不是小太保的俏皮话。

自己跌跌撞撞地过日子，算自己活该罢了，然而，自己转眼竟也为人父母，眼看小家伙的书包里面的书显然比鸡兔同笼好不到哪里去，上学面临的升学压力也未必改善，很想大声问每一个人：

谁来带领我们过日子？

我不愿这时候说：请多读书。

但是，回想自己一路走来，我觉得最难的是能够自给自足地过日子，我说的当然不是物质生活，官能之欲，是一块米糕，还是黑松露，都容易买单。真正难过的是一种"慎独"，是问你独自一人，无论日子如何变化，是不是仍然怡然自得？是不是仍然充实饱满？是不是面对充满了各式各样的"声音与愤怒"的外在世界，你仍然自有自己的定见？

请读书，尤其是文学。

在时间的长河里，一本一本文学，是一个一个多样的生命的探索，这一个一个的探索，呈现了一种一种的生命面相，无论它呈现的是黑暗，是光明，我觉得给我们一种生命经验的借镜。

我在十三岁读罗曼·罗兰的《约翰·克利斯多夫》，我几乎是不吃不睡地读，完全一个小疯子，因为我突然发现了它是一面镜子，在镜子里的我是卑琐到可怜。突然，我不太关心我是不是一定要有一双当时流行的高跟的小太保马靴。

当然，当你六十岁，回想起《约翰·克利斯多夫》，你完全是"山不是山，水不是水"的另一番心境。但是，我仍然由衷感激它在我惨绿的年代，给了我一个启发性的视野和生命价值感。

那么，作为琉璃工房伙伴，如果，我们真的相信琉璃工房永远不断创作有益人心的作品，我们不可能只要求"作品"有益人心，推广作品的"人"，是不需要"有益人心"的，或者说推广作品的"人"，只在琉璃工房的艺廊里"有益人心"，回到家里，面对父母、丈夫、子女，"有益人心"难道就像一个公事档案夹一样，是不"把公事带回家"的？

我想我需要再把"有益人心"的观念再澄清一次：

一九九六年，当我正式地强调"有益人心"的价值，是延续着工房创业的"诚意"的价值。在历经一九九六年的种种挫折冲击，琉璃工房仍然不强调利润、竞争等等一般企业的核心目标，是因为我们更坚信我们要过我们自己选择的生活。

那种生活，仍然充满光明和黑暗，仍然有各种苦痛煎熬，和欲望的试探；种种疑惑，仍然没有答案。然而，漫漫的黑暗里，我们安静地读书，你终将发现那些围绕着我们萦萦不去的悲痛、欢喜、贪婪、关爱，在无尽的过去，甚至未来，周而复始地发生着。这样地分享着那些经验，是生命最本质、最深邃的学习。

今年是托尔斯泰冥诞百年。如果有人对于时代混乱，对文学如果"边缘化"悲观，应该看看俄国如何冷落这个俄国的巨灵。如果有人对自己的人生伴侣颇有微辞，我想应该看看托尔斯泰和苏菲亚夫人的生活。

一定要问为什么读书？

书，是黑暗里，一盏一盏的灯。

——原载二〇一二年六月三日《人间福报》

时间的绿藻·光的游戏

陈美桂／文

　　高中就学于城南，在一整座重庆森林里，打开探访世界的眼睛。学校没有一片真正的湖泊，但我们都如小小的绿色的水藻，在透明的光影中漂动，不带着瓜藤葛蔓，伸展收束，静静地浮游。

　　那是一个晃荡空间加大时间拉长的年代，我自台北盆地边陲六张犁山下搭上公交车蜿蜒进城，从在学区内下课跳绳掷球玩游戏出汗的国中学童，变成喜爱咀嚼矜持、阴霾、暧昧等词语的绿衫女孩。高中每天四点钟放学，外加星期三小周末，日子是无限畅流的绿色活水。通常出了校门向右走，看着"总统府"前年轻士兵，只有某种青铜色的眼神短暂交会，接着走入广大的书街，进行知识的采集。而向左走，则是因着探望离乡北上求学的南部女孩，关怀她偶有缺席想家的心事，而走入曲暗蛀着时光的日式宿舍中。通常顺道穿过牯岭街，书屋主人就守在大门矮凳上，背对着时代的一种单只身影。那时我们最高的人生价值就是学着徐志摩或郁达夫那样素行的个性与生活，或许女孩外表的端庄甚至沉默，也只是保护自己不被发现的快乐；同时也勇于向思维艰难挑战，好像得了一种知识崇拜症，喜欢静静地思索　些深奥的孤独的问题。记得在旧书摊挖到一本尼采的《查拉图斯特拉如是说》，光是书名的长度与拗口的程度，就让人自负地喃念起来，且牢记不忘，觉得世界就在那些书里，远远地搭乘，足以航行整个宇宙地球的感觉，那时的心眼很大。

重庆南路三段三十号，林海音先生创办的"纯文学书屋"，记忆中当年是朝圣过的。推开玻璃门，整个书架上同一款的设计封面，让每一本书有了一致的归属性，除了《蓝与黑》、《滚滚辽河》、《莲漪表妹》有着向父祖身世探究的好奇，同时也会翻阅其他异国诗文作品，如波特莱尔《恶之华》及纪伯仑《先知》等，一种超越年纪的诗意早熟，关于自由与爱的辩证，关于慵懒的微笑与心灵的幸福。至今印象最深刻的，是坐在大大的素洁布沙发椅座上，一种极为温馨的雅卧，恍若无人注视无人管理的空间，高中制服的年轻读者各自安静地窝着，放学后一两个小时下来，满身书味温饱离去，在街道的方格上低头行走，喜欢在夕日斜晖中看自己沉思默想，长长的影子。

后来时间绕转，在离去十多年后，我再度回到重庆森林，成为领着一批绿衣女孩继续探访城南的文学引路人。有一年寒假，师生一起拜访隐地的尔雅出版社，从一张堆栈稿件的书桌，看到作家兼出版人的文化伟业，就像手作时代的工匠，一块一块接合着文字片瓦，打造一幢又一幢灵魂的巨室，传递文学宗庙的信仰。出乎意外地，隐地让我们从办公室一架直立的小铁梯上爬，竟钻进能容身的洞口，看到一堆书所安睡的卧室，好大的空间啊，既真实又虚幻，原来琦君、王鼎钧、白先勇都安静地住在这房间里。从此以后，尔雅从芳邻成了我们的近亲，一批批的好书以极低的优惠，让每间教室很快地变成了文学书房。后来隐地接受我们的聘请，成为首开先例的高中校园驻校作家，十场讲座带来阅读、饮食、电影，兼及品位、生活，一席富丽流动的人文飨宴。

另有一次，为了杨牧《山风海雨》的专题研究，领着一群高二治学新手在一栋公寓门口按铃，然后拾阶登梯，拜访同在厦门街一一三巷的洪范书店。发行人叶步荣眯着笑眼，以寻常闲话的方式，谈起当年与杨牧在花莲中学同窗的年少种种，且透露二人北上补习投考大学时，就曾在同安街的铁道旁赁居出入。多年后，赴美就学的杨牧提议开一家理想的出版社，于是加上痖弦、沈燕士，四君子商议以《尚书》中"洪范"二字命名，好像天地间一个开始、一种规范，共同立下文学出版的志业，在文字的斟酌、版页的坚持上，一直成为出版界的典律。办公室墙面一幅杨牧诗作《细雪》，由楚戈以独特遒劲的书画形式，写了"终于留下痕迹了"，墨色间犹渗着美的豪气。最后叶先生以杨牧经典三十的作品《搜索者》作为勉励女孩的礼物。能这番登堂入室，直接浸润书味的第一口芬芳气息，对年轻学子而言，就是最佳的文学光合作用。

至于今日文学森林所在的纪州庵，一直有着传奇的色彩，经过当年仍是蔓生丛草的院落时，仿佛埋葬着陈年历史老旧身世，当居住过城南的文学作家一一站出来做守护再生的呼吁时，简短的报上消息，令人无限期待。其中一度沉寂，令人担心台北人失落文学记忆的家园，但随着有心人搧动声势，几次风风光光与小区居民的互动，一场又一场精心擘画的展览，让人有了绕路的理由。远离捷运匆促人潮，穿过庶民生活的摊贩市场、杂货商店、公园庙殿，听着细碎的人声词组、笑言调侃、叫唤暖呼，走到底就可以有一座小小的静谧森林，阳光从不吝惜洒落，大片玻璃直接透亮着空间，晴光好日真有晒书的味道。在这精彩的讲座中，听到余光中与王文兴直接比划诗的路线，小说的河岸方位，川端桥下的悠悠摇渡与年轻时的文学对话；又亲炙国家文化奖得主林文月以精雅动人的韵致所孕生的女史风范，并勾画当年她与林海音、齐邦媛的文坛剪影。是的，他们在岛屿写作，同时他们也走出文字的午后书房，成为跳荡于文学森林的传奇精灵。

杨牧说："我想你是充满灵气的，不会有恐怖的怨言。我只能希望人类和你一样，和你一样带些灵气。"高中时代至今，我一路从城南走来，带着自己的灵气，进行文学的深径探索，并领着一批又一批学生走入文学清荫，以一种角度仰望，望着时间的绿藻，在森林的油彩里细细漂动，一场美妙的光的游戏。

——原载二〇一二年十二月《文讯》杂志第三二六期

一棵种在梦境边缘的水树

曾郁雯 / 文

冬山河这条蜿蜒的水路，就像小时候放学和一大群小朋友穿梭在田野间，不管怎么走都能回到家。

远离台北的烦闹尘嚣，短短个把钟头就置身宜兰的姜姜水麓，时空瞬间倒转，遥想"驳仔船"摇摇晃晃载着翻山而来的汉人，在这片平原交织的水上，运甘蔗，捕鱼虾，吃拜拜，看戏班。不燃油也不烧炭，一片片木料钉成鱼一般的舢舨，船头两侧绘上活灵灵的鱼眼睛，睁大眼盯着船夫撑篙划桨，晃晃摇摇，我们在暖暖冬阳下吹着微凉河风，舒服到打盹，忘了身处哪个朝代。

水色随着一道一道桥身改变，天光云影跟着时间挪移脚步，我们分乘四艘电动船忽前忽后畅游冬山河，此番是为了探勘"噶玛兰水路"而来，作家朋友们沉浸在暮色中，也许心里已经开始想象如何描绘眼前的美景，或者依循历史脉络走笔兰阳平原的纵横水路，或者捕捉沿岸水鸟足迹重现原始生态环境，又或者什么都不想只任风吹过水流过鱼游过。

可别小看这"驳仔船"，透过宜兰作家吴敏显先生撮合，由人称"宜兰船王"的林石顺先生捐赠的最后一艘驳仔船，虽然已经进入兰阳博物馆"典藏"，却曾是宜兰最主要的水上交通工具。它可以负重三千至七千台斤，将河口大帆船运来的物资转运到内陆再分散到每个乡镇。驳仔船也是负责运送制糖原料白甘蔗的接驳大使，日据时代的二结糖厂规模庞大，宜兰平原到处都种植白甘蔗，近河的可以直接用水路，离河的就要先用人力车运送到河边，再用驳仔船载到火车站交给俗称"五分仔车"的小火车，鼎盛时期多达十八艘；一直到台湾光复初期都可以见到驳仔船忙碌的身影穿梭在河面上送往迎来。

相较于驳仔船的修长，"鸭母船"就胖得可爱！冬山河畔的草丛里有时候还会泊着一两艘鸭母船，这种小船是养鸭人家用来洒饲料的工具，不难想象母鸭带小鸭聚拢在船边，一家子大大小小酒足饭饱、成群结队、心满意足、畅快游河的幸福模样。

这种幸福可是得来不易，现在一派太平盛世的冬山河整治成功前也曾是鬼哭神号的恐怖航道，从那姑婆田湾、三角潭到竖流仔，都是一个接着一个地水深弯道，水底下暗藏漩涡，根据"宜兰船王"林石顺老先生形容：急流底下总是暗藏阴狠的大漩涡，耳朵只听到船边轰轰的响，如果不够老练沉稳，那声音听来无异是鬼哭神号，简直就像一大群水鬼攀住船舷不放，硬要把船往水底拉扯，每经过一趟就等于到鬼门关前逛一圈，"全身毛发竖立、手臂上的鸡皮疙瘩一粒一粒突得像洗石子的墙面"，他老人家说那种惊恐只有船家自己才能体会！那种情境哪是现在沿着河岸骑着单车迎风高歌的游客所能想象？

冬山河就是宜兰的缩影，这里保留了先人开疆辟土的强悍坚韧，也封存鸡犬相闻世外桃源的朴实自在。平畴千里孕育生命喂养子民，江河海洋丰饶土地连结梦想，不管泛滥淹没过多少次，古老神话或显灵传说都在在鼓励抚慰宜兰子弟，不要怕，就像戏台上演的苦出笑科通通有，这样的戏才好看人生才够精彩。

夕阳如红紫色的丝缎把天空和河面交缠在一起，暗光鸟飞过水面，灯火初上时我们来到宜兰火车站前的"百果树红砖屋"咖啡厅，穿着黑围裙的黄春明老师早就站在门前一一欢迎大家。每次看到红红脸蛋、卷卷灰发、高高身材的春明老师，都会联想到圣诞老公公，不是吗？如果他不是那个一心一意只想把欢乐送给世人的圣诞老公公，实在不必在含饴弄孙之龄还天天"下海"煮咖啡、端盘子、洗杯子，他还自嘲是全台湾咖啡厅最老的服务生。

二〇一二年九月十八日才开张的"百果树红砖屋"是联合《九弯十八拐》杂志和"黄大鱼儿童剧团"两个团队的结晶，除了卖咖啡搭配宜兰名产"春明饼"、咸李仔糕，以及黄老师的著作、画作和剧场周边产品之外，每周五晚上七点到八点广邀学者专家和各方达人谈天说地，举办各式各样专业演讲以飨乡亲；周六周日则提供连续六场亲子故事剧场的演出，让高龄七十八的黄老先生和所有团队忙得手忙脚乱，也忙得不亦乐乎！

黄老师长年戮力的黄大鱼儿童剧团和现在的百果树亲子剧场，都是透过说故事和戏剧的"手段"达到亲子互动的目的。小孩子即使听老人家说一个破碎的故事，也能凭自己的想象力拼出或再造一个完整的故事，听故事的同时也能训练专注力。想象力和专注力正是现代儿童最欠缺的两种能力，偏偏这两种能力恰巧也是将来最重要的竞争力。师母悄悄地跟我说："你看！他以前搞剧团除了假日都待在宜兰，现在又弄个咖啡厅，一到假日更忙，整天穿着围裙站在门口说欢迎、欢迎，唉！都不知道自己已经几岁了？"

唉！我们就是爱死了这样的黄老师！红砖屋的正中央真的有棵百果树，为什么要叫百果树呢？这棵树可是黄大鱼儿童剧团定目剧《我不要当国王了》的大主角，在童话王国里透过小朋友的想象，没有什么不存在的东西，这棵树可以长出各种各样的水果，只要你叫得出来，它就长得出来。

所以百果树是一棵长在舞台与梦境边缘的树，一棵长在山与平原交界、海与河川汇流的树，是一棵用宜兰的水养出来的树。

京都三大名物——京女、汤豆腐和池泉回游式庭园，皆拜京都千年之"水"所赐。因为水质好，所以京都女子皮肤细致，温柔婉约；因为水干净，所以汤豆腐滑如丝绸；因为水活络，池泉庭园湖水清澈、风光明媚；世世代代的子孙至今仍受庇荫，悠游活在水的古都。

那么我们在冬山河午后的一盹，不久的将来也会看到百果树开花结果，令人期待的故事情节。

——原载二〇一二年十二月十三日《中华日报》副刊

散文Pi的奇幻漂流
——二〇一二年台湾散文

张瑞芬／文

　　冬夜里在3D影城看着一条鱼忽悠就这样游到眼皮前时，也正是该回顾二〇一二散文的十二月了。这眼前熠熠的水草森林和荧光岛屿，交织着少年Pi的梦境与幻觉，真实与虚构镜象交叠，白天和黑夜，馈赠与索取，吃和被吃，人与非人。画面美得令人屏息，花心里却赫然一枚人齿，血淋淋恐怖之至。

　　"我心里有猛虎，在细嗅着蔷薇，审视我的心灵吧！亲爱的朋友，你应战栗，因为那里才是你本来的面目。"英国反战诗人西格夫·萨松这样说。

　　散文是虚构或真实？猛虎或蔷薇？引用和抄袭的界线何在？"中时谢微笑"与"联副钟神话"讨论得那样热烈，你比较喜欢哪一个？重点已经不是你相信哪一个了。

　　二〇一二的台湾散文，呈现的是这样一种迷离恍惚的不可名状，表面上看来盈盈草木，离离春韭，饮食田园居大宗，水平面下却生机活泼各种品类都有，并且看不出未来将如何发展。如果依数字出版集团理事长何飞鹏二〇〇九年所预言纸本书只剩五年寿命，眼前岂不是差不多到头了？但事实显然并不如此。今年的散文书旧版重印虽多，例如《迷路的诗》、《汝色》、《我和我豢养的宇宙》等，但创作能量却蓬勃一如以往，甚至好书还相当多，就拿现正摆在书店平台的刘大任《枯山水》、张经宏《云想衣裳》、黄文巨《感情用事》来说，理直气壮地，就一点儿也没有年底将届的丧气相或稀微感。

我个人觉得，今年八月印刻大手笔的"木心全集"撑起了整年的气势。大环境衰败，重庆南路书店倒了八成，诚品却自有办法以复合式经营方式把书店开到香港和苏州去。只是大至诺贝尔奖小至开卷好书榜，散文写得再好似乎都很难名登榜上，也正因此，在二〇一一年木心辞世后，这整整十三本的新版重印特别有着逆势操作的意味。

论冷门，没人比木心更冷门了，然而为其倾倒者，大有人在。这个隐居美国二十余年的神秘作家，凌波微步，罗袜生尘，《温莎墓园日记》、《琼美卡随想录》、《素履之往》、《同情中断录》、《鱼丽之宴》、《埃默森家的恶客》，这些如印刻总编初安民所称"空袭"过台湾，像来自遥远古代坠落神祇的晶莹透光文字，是散文的再开发，也是散文前瞻性的实验。木心仿佛以嘿笑和冷眼打翻了散文的戒律和准则，用"不统一律"、"不规则性"来显现散文创作的最大自由。俳句、札记加故事，印刻选择如此高品位、非典型、难营销的散文家来主打，无疑是很有勇气的。仿佛是说，时代已经够糟的了，何不看些真正好的东西呢？

本着这种知其不可而为的精神的，今年《艾雯全集》皇皇十册，由艾雯女儿朱恬恬整理出版，还有王鼎钧《桃花流水杳然去》、《度有涯》、黄永武《好句在天涯》、梅逊《梅逊说文学》，以及张辉诚《毓老真精神》。不同于去年尉天骢《回首我们的时代》造成的热潮，资深世代的忆旧怀人，几年下来似乎有些疲了，但细品之下，仍有可观。《度有涯》是王鼎钧旅居美国一九九七年前后的手札，作为回忆录四部曲的补遗正好；《好句在天涯》是黄永武加拿大悠游林泉的创作体悟，证明了国学者也有壮心未已的一面；《梅逊说文学》尤其是老作家孜孜矻矻，毕其功于一役的文学葵花宝典。这几本书既平实温润，又机锋处处，例如黄永武认为文字需要酝酿才能精致，像脸书那样随想随写是不行的；写散文和做学问不同，要多看野史闲谈；为文如烘烧饼，篇题无妨先列，待熟成后再一一出炉。《梅逊说文学》谈创作概念和写作实务，灵感与想象力，散文与小说之别，都很精辟。王鼎钧论虎妈狼爸孤狗世代，E-mail照样可写"奉橘三百枚，霜未降，不可多得"，有趣极！至于张辉诚《毓老真精神》中写礼亲王后裔毓鋆，铁帽子王的传奇一生，风义可感，真把个近日沉溺于后宫格斗戏码的我，稍稍拽回了现实世界。

正如王鼎钧说的，如果哲学家的工作是在一间黑屋子里找一头黑猫，宗教家的工作就是在一间黑屋子里找一头并不存在的黑猫。世上没有比书更奇特的产品了。由不理解它的人印刷销售，甚至由不理解它的人批评和阅读，有时甚至连写的人也不理解它。编辑在黑屋子里找读者，作家在黑屋子里找并不存在的读者，李安则在海上拍一只不存在的老虎，哪个更难一些？

二〇一二年，詹伟雄领军的小杂志逆袭失败，傅月庵主编的《短篇小说》六月才发行捱不到年底就落幕了（林书豪至少还撑了一年）。"纯度百分之百的伏特加"，遇上满街"哀凤低头族"，只证明单纯的理念不可行。说小说比较受重视嘛！宝瓶放眼大陆，且母鸡带小鸡的"这世代，火文学"小说系列——毕飞宇、魏微、盛可以、徐则臣，质量虽优，不也没打响？于是散文的我行我素，似乎也可以得到一些理解了。

岂仅走马看不得三国，一些熨贴人心的文字，也得稍稍静下心来才能领会。老出版人隐地多年来观察书市，鉴照人心，几乎成了旧社会传统价值的代言人了，今年除了《一栋独立的台湾房屋及其他》发发对台湾文学史的牢骚外，尔雅日记系列以《二〇一二／隐地》自己收尾，也算十年有成。在危疑时代里，特别能给老读者一炷温暖爝火，又带着点记忆里的淡淡哀愁的，我觉得还有亮轩的《青田街七巷六号》、陈义芝《歌声越过山丘》，或者再加一本雷骧《少年逆旅》。

老房子里有悲喜交织的人生，编辑台上有灰飞烟灭的理想，今天是过去的延续，这三本充满过往回忆的书，都和上一代产生着连结。《青田街七巷六号》和《坏孩子》纠葛出马廷英父子两代无法平复的伤痕，《少年逆旅》加上《目的地上海》是雷骧流离迁徙的破碎童年，《歌声越过山丘》从逝去的文人身影，陈义芝隐然开启了下一系列父亲戎马一生的《战地断鸿》。和以上三本比起来，陈文茜《文茜的百年驿站》里女神卡卡、秋瑾、宋美龄和凤飞飞写得太抢戏，原本作为主轴的革命家外公外婆倒显得不够彰显，算是热卖背后的一点小遗憾。

物与情，人与地，总是这么脐带相连、息息相关。在"伪乡土"、"新乡土"频频被小说界关注的同时，蒋勋《少年台湾》、阿盛《萍聚瓦窑沟》、赖钰婷《小地方》，老少一致地写起脚底下的土地来，竟是那么自然。

《少年台湾》以介于微型小说与散文的形式写台湾许多小乡镇，集集、水里、南王、望安、白河、九份，每篇设定不同的主角上场，流浪笔记，岛屿独白，格外显出蒋勋对成长之地的依恋。而小妹妹赖钰婷这回二十四节气二十四种心情，穿梭在农村与山林间，莲潭盐田，落日潮汐，找寻着往日回忆与和家人共处的时光。《小地方》这本书其实和节气无甚相关，和前两年范钦慧《跟着节气去旅行》毕竟不同。在这书里，看得出赖钰婷技巧稍稍放下了，或许正在经历自己的调整期，那样专务纤巧终究是不行的，而她自己也察觉到了。文坛老货仔阿盛，今年集报纸副刊短文而成《萍聚瓦窑沟》，并以此书荣获一〇一年中山文艺创作奖。"瓦窑沟"原指他台北中和寓居处，只是阿盛的乡土早已超越了地域，深植于语言之中，既瘦且酷的是他，简洁又有劲道也是他，那些"无车用步辇"、"吃菱仔放枪子"、"坏囝仔济出头"之语，古雅兼俚趣，杨富闵要学到这份上怕还要点时间吧！

说到古早味与在地感，陈黎《想象花莲》与吴敏显《我的平原》是书写故乡的代表。只是《想象花莲》主题有些碎散，吴敏显笔下宜兰的童年写得稍微平直了些，没能给读者太大的惊奇感，有点像廖鸿基《回到沿海》和《来自深海》傻傻搞不清楚一样。《来自深海》是一九九九年的旧书了，同样是讨海、赏鲸、黑潮文教基金会，此番旧作再版竟与新书《回到沿海》及近作《漏网新鱼》互打，主题重复过甚，实在可惜了。而今年郑鸿生《寻找大范男孩》与辛永清《府城的美味时光——台南安闲园的饭桌》回归老台南身世，青春之歌，家族合照，无言的男性加上温婉的府城女儿，卤面、润饼、鳗鱼汤，种种人情世故，厝边头尾，各有讲究，一个远违于台北都城，多么令人思之温暖的南都老情调。

说到吃，今年饮食散文不知道为什么特别多，尤其加上田园乐活风，从爱亚《味蕾唱歌》、焦桐《台湾肚皮》、《2011饮食文选》这种经典款，国宴与家宴，夜市与小摊，转而为一种爱生惜物的生活态度。在蔡珠儿《种地书》、张让《装一瓶鼠尾草香》、凌拂《山城草木疏——绿活笔记》里，女作家们不但耕而种之，采而食之，甚且计算食物里程，体会行道树季节的脉动，感受感官世界与情欲的关联。这芭比的盛宴，如仲夏夜精灵的腹语，引得大男人刘克襄也来参一脚斗闹热，写了一本精彩的《男人的菜市场》。

《男人的菜市场》图文并茂一如刘克襄早先那本《失落的蔬果》，是男作家在北中南各地菜场的生态笔记，旧路踏查。只见那大叔头戴渔夫帽，身背蓝红条纹尬叽袋，从埔里买到恒春，木栅买到花莲，念念叨叨那些古早时代"失落的蔬果"都到哪儿去了？黄香瓜、草山柑、土番石榴、白莲雾，土产与旧俗，在寻寻觅觅之间，交织出一片繁华多采的知识地景来。在这一片盈盈草木疏中，论文笔是凌拂、蔡珠儿殊胜，趣味则焦桐、爱亚为优。而对岸作家近年来，更把饮食和文学结合到一个炉火纯青的地步了，例如冯杰与沈嘉禄。

今年冯杰的《一个人的私家菜——说食画》，说实话早已超越了饮食，而且值得得到更多的注目。他说的是食物，画的是写意，谈的是感觉。你瞧他说："拍黄瓜时你千万不能犹豫，必须手段利索，出手如风，心无挂碍。你这时心有旁骛不行，你想毛主席也不行，你想邻村女人更不行。必须想当下的这根小黄瓜。且必须是一刀下去，直截了当。如果要重复再拍第二刀，技术含量必打折扣。"那种一本正经的不正经，有时还能结合了诗意，形容芹菜"有一种乡村魔幻现实主义的气息，在月夜里飞翔"；收麦时节，一桶桶茶送到田间，"是盛了一桶金色布谷鸟声"。画笔与诗语，把北中原面食文化与乡村人情渲染得周致极了。

打从大陆央视纪录片《舌尖上的中国》横扫两岸，并出了同名繁体版书籍后，沈嘉禄《上海人吃相》、《上海老味道》、《鱼从头吃起》系列，也都得重新评估了。浓油赤酱本帮菜，弄堂房子石库门，沈嘉禄《当猪头笑看天下》、《美女鸭头颈》、《虾爬子的华丽转身》、《戏子的枪，厨子的汤》、《亲王的味道，格格的吃法》、《咸亨酒店的气场》这些篇题，摆明了既是食经，又不只是食经，兼具知识与趣味，文学得很，太有味儿了！

还是阎连科说得好啊！"只要一个人可以把对名利地位的欲望转生到对蔬菜生长好坏的担心，人生就升华到了一个新的境界。"蔡珠儿在香港住家后院种种菜也就罢了，小说家阎连科竟在北京近郊垦起地来。《711号园》这部散文集展现了阎连科对周遭万物的温暖存心，草木昆虫甚至农具，无一没有生命，然而都市计划最终以挖掘机摧毁了这逝去的天堂、曾经的美梦。《711号园》文字细腻过人，反而蔡珠儿《种地书》这次在表达上朴质一些。

二○一二年台湾散文除了饮食草木为大宗，都会女性的抒情与知性散文也相当亮眼，这其中又以柯裕棻《浮生草》、李维菁《老派约会之必要》、毛尖《这些年》、黎紫书《暂停键》、杨佳娴《马德莲》表现最佳，黄丽群精彩的中时专栏虽尚未结集，恐怕也要算上一个。这些轻熟女的共同特征是高学历与都会化，有趣的是柯裕棻和黄丽群完全是张爱玲的传人；李维菁佻达犀利，近似上海姑娘毛尖；杨佳娴华丽深藏，诗语幽微，和黎紫书一样，像真空的罐头，密不透风。

如果要我选择一本今年度最佳的抒情散文，我想会是《浮生草》吧！能这样无所用意闲闲写得一段，读了以后五雷轰顶，并不是容易的事。那些嘴角眉梢泄漏的天机，冥冥如子夜私语，嘈嘈诉说着人世的冤屈。这是柯裕棻独白微观的散文美学，夜市里、快炒店、小面摊、包子铺，一个人在深夜的城市行走，喃喃审度着人与人的关系。文句极省俭，将意念极大化。这种感觉我远在张爱玲、近在黄丽群的文字里看过，平衡感拿捏得极好，堪称逸品！

今年读李维菁《老派约会之必要》，竟好像读"许凉凉后传"一样。绝望的爱情，预见的结局，冷眼兼冷语，读得令人哆嗦。《老派约会之必要》是穿梭在诗与小说之间的散文实验，爱情在李维菁手中，竟然一点温度都没有，可也是这样的自持与节制，使得整本书有一种穿透的清明，这完全不是有统一主题的散文了，而是碎散的浮世情缘，漂流在人海茫茫中。毛尖《这些年》的专栏性质就比较明显，论时事、谈电影，两岸风云、千年月色，十足愤青，节奏迅捷，虽然痛快淋漓，却也令人喘不过气来。杨佳娴与黎紫书文字极美，只不过读来有被弃置感与漂流感，像在茫茫海中面对一头难缠猛虎，何苦来哉也！

不过近日读小说家转行的蒋晓云散文，却大有滋味。这《哑谜道场之香梦长圆》，书名初看有些莫名其妙，其实讲的是父母新婚时亲手绣制的一幅帐檐（上书"香梦长圆"），飘洋过海隔代流传，小说家以往甚少自述平生（如打哑谜），如今以散文和读者见面，算是坦诚相见了。蒋晓云自以小说《桃花井》、《百年好合》复出后，备受好评，她的散文自有一种亲切爽朗的风格，虽然还是世故的，却是冷眼热肚肠，笑谑棉里针，好看！

本年度另一位"建我的道场，诉我的衷肠"的，当属今年以小说《迷宫中的恋人》叙写伤病与救赎的陈雪，《人妻日记》干脆把私领域女同志家居生活摊在阳光下了，家常宴宴，晴光朗朗，好滋润的小日子。

中生代作家今年多有散文新作，如廖玉蕙《为什么你不问我为什么？》、陈克华《老灵魂笔记》、骆以军《脸之书》、张曼娟《戒不了甜》、钟文音《暗室微光》、朱天衣《我的山居动物同伴们》，持续有着能见度。杨照除了以《寻路青春》做为多年前《迷路的诗》续集外，今年和胡洪侠（大陆）、马家辉（香港）三个同龄人合写《对照记@1963》，见证了两岸三地南辕北辙的思维背景，激荡出不小的火花来。

今年度旅行散文也不寂寞，陈思宏《叛逆柏林》、吴柳蓓《没有门牌号码的国度》、陈玉慧《依然德意志》、丘彦明《在荷兰过日子》、郑宝娟《说法兰西的闲话》、胡晴舫《第三人》，都各具特色。

就文笔来说，郑宝娟和胡晴舫较为可观。陈玉慧《依然德意志》是记者之笔，对社会政策着墨较多；郑宝娟从名牌、八卦讲到杜拉斯，引人入胜，非常"闲话"；胡晴舫擅写浮世行旅，文化差异，难得的是兼具感性与知性，余韵不绝。《第三人》实在是近年我看的专栏散文集中，最具观察深度者。

有关教育或文化，今年陈幸蕙《与玉山有约》、《玫瑰密码》，张耀仁《最美的，最美的》都是师者之言。有几本书倒是不俗，薛仁明《教养，不惑》、夏烈《建中生这样想——给高中生的十七堂人生要课》，就让我读得坐起身来。《建中生这样想》见解实际，出语幽默，概念颇不古板，例如对人对事宜简单化，沟通能力至为重要，应从事适合自己的工作，如何钱多而不烦恼，爱钱爱到看不出铜臭味？这些对新世代都很具理性说服力。薛仁明《教养，不惑》这书，更是文采辞情都好。薛仁明骨子里其实反对当前教育理念与评鉴制度，却以乡间成长及任教经验，发为恳切之言。强调自我，反倒失去自我，这话可多么雷人！张经宏《云想衣裳》书中也有此语，网络世代多宅男，走在路上无知无感，耳目多呈省电状态，对照这书中心灵世界的细腻遄飞，看着可有多感慨！

今年度的散文集，初出茅庐的新人表现不错，《太少的备忘录》是新锐导演侯季然的年轻纪事，文字清顺可喜；大陆来台交换生蔡博艺事事关心地写了本《我在台湾，我正青春》；周纮立《坏狗命》与神小风《百分之九十八的平庸少女》这两个小文青，坦然面对青春身世，跨出了勇敢的第一步；林育靖《天使在值班》和吴妮民《私房药》像她们的学长黄信恩一般，没日没夜值着无尽的班表；黄文巨《感情用事》教职与爱情两头不着边，在文字之海泅泳着。

岁暮年终，回望二〇一二年，担忧恐惧，往事浮沫已尽。像经历了一场奇幻漂流，你上了岸，却不知身在何处。人性的暧昧多样与复杂深邃，恰似猛虎嗅蔷薇，暴烈裹仁慈。幕落之时，你其实并没有真懂，一直要到离开许久许久以后。或者，文学也正是如此。

——原载二〇一二年十二月三十一日《中华日报》副刊

战地断鸿

陈义芝／文

今夜我在灯下想着父亲。

在灯下，我翻阅《滇西抗日血战纪实》，想起抗战后期，父亲在五十四军强渡怒江、仰攻高黎贡山的经历，清楚地又在各段硝烟文字看到他当连长的身影。

卢沟桥事变，父亲被拉夫而出川。在上海的交通壕沟里，他搬枕木、抬铁条，赤足棉花田被长铁钉贯穿过脚板。守卫南翔桥一役，以汽油、稻草设防，火焰冲天中凭一挺轻机枪击退一排敌兵，当上中士班长。

在这之前，他是效法桃园三结义仁字旗下的"袍哥"；是陈家山一家木厂、一大片梯田的三少爷；是长江上游忠州水岸贩卖川芎、虫草、贝母的商旅。民国初年的四川，军阀交争地盘，土匪收粮收饷，父亲白天上私塾，夜晚逃土匪。及长，进过"边防一路军事学校"受训，也参加过四川军。原有机会保送中央军校，却随一陕西人学铸币，荒游各地。等积攒了钱想回家，不料夜半发生如《石壕吏》"有吏夜捉人"的情景，领了一套粗布军服、一个新编的队号，直拉到上海，从二兵干起。

我在灯下想着父亲辞世前几年，由于握笔的手颤抖，不再写字、写信；长日坐在背窗的一张躺椅，一摇一晃地假寐。屋子没开灯，有些暗，他的脸背光，更显模糊，总要靠近才知道他是睁着眼或闭着。额头满载岁月的疲惫，薄唇紧抿而微凹，浑不觉客厅人声的喧哗。假日，我想带他外出走走，多半时候他回答："带你妈妈出去散散心吧。我留着看家！""随他！"母亲往往赌气道，"一辈子就只喜欢和外人在一起。"外人，指的是父亲的旧日战友。

　　我知道，母亲并不了解父亲。一个生于四川，一个长于山东，因战争逃难而结婚，婚后不数日，军人父亲即开拔上火线，年轻的母亲随一群眷属辗转流徙，先到台湾，半年后才遇见被共军俘虏、凭一纸路条中途逃亡海南岛、渡过海峡归来的父亲。命运曲折，生死折磨，会使一个人的心房像蜂巢层岩，一格一格储存的不是蜜，是苦楚的沉积物。问题是谁能脱开现实的捆束，带老去的他回到青年人生还没有碎裂、憾恨还来得及收拾的时代。

　　一九八七年，政府宣布开放探亲，我计划陪父亲回四川。有一天，他在同样未开灯而昏暗的屋里，讲了一段一辈子令他怆痛的恨别。

　　"一九三八年，最艰苦的作战期，日军攻下九江、马当，国军在江西与湖北交界筑防御工事，日军随即又从武汉背后来袭。你祖母病危，家中连催九封信。我全未收到，只字不悉，直到战事告一段落，无意中听一文书提及……"

　　父亲用四川话，讲武汉失守之际鄂北那场战役。国军在武汉整训，他代理排长由徐家棚东行，渡江，防守田家镇，隶属五十四军八十三团第三营第九连。"在敌机舰轰击及毒气危害下,苦战兼旬,伤亡极大。九月底,九连奉命掩护五十四军全军撤退,在江边的山头布下三个排阵地,各领一挺机关枪……"

我讶异已隔了半个世纪的事,他仍分明记得,如乡音,如不断温习的郁结。

"天麻渍渍亮时,哨兵传报,江上有一群鸭子。"父亲用望远镜凝望,发现日军水陆两用装甲车上百辆浮在微明的江面,很快就会靠岸。但国军在江边挖有三公尺宽的暗壕沟,装甲车上岸将陷住,暂时可以挡一阵。他重新查看自己这一排构筑的工事:机枪在石崖底下,洞口有一大丛黄金柴掩蔽,射击及装弹匣的人都可躲在壕洞里。阵地前另有一条河,听到河里的涉渡声音,即"叭、叭、叭"三发点放。由于黄金柴挡烟,敌人不易发现机枪位置。

雨越下越大,天虽放亮却仍阴晦,隐约看见远方山丘有日军出没。突见二岗哨踩水往回跑,紧急报告:敌人已连夜包围此山,排哨已被俘,他二人因外出小解而得以突围。

"不久,日机临空,机关枪、六〇一起开打,阵地几乎被打翻过来。从拂晓再入夜,连长负重伤垂危,另两挺机枪没了声息。"父亲说,"后来只剩我这一挺机枪还维持点放,一整天有枪响,敌人的部队不敢贸然扑前。"山野无丝毫虫鸣声,只有人的哀号、呻吟断续起落。他想起渐渐沉寂的另两个排阵地,前一夜还传出苍凉的三弦。衣裤被雨浸透,一阵阵寒意令全身更加酸痛。

夜更深时,有战友伪装喊话:"陈连长!把你的机枪连拉到河边防守。"目的是假造出一个营的声势。其实父亲的排阵地只剩一枪、二人。"叭、叭、叭"他以三发子弹点放作答。不久，后山团防部派的中尉副官寻声而至，手持黑巾遮蒙的五节电筒，问："还有多少人？"说是奉团长令来查看。"还有两人。"父亲说。

"团长命撤守，但必须找齐三挺机枪带回。"

他们凭记忆的方位，摸黑寻找，由父亲带头，与副官及弹药兵，推开阻路的尸体。其中一具机枪管还是烫的，上头血黏黏地俯伏一个殉职的弟兄。好不容易把机枪找齐，一人扛上一挺。原本通过山腰竹林即可达后防，此刻日军不断以燃烧弹轰击，火光通明截断了他们的去向，只得绕道，将三十分钟的路程延长成三个钟头。途经一座小庙，体力实在支撑不住了，有人提议休息。结果一坐下，三个人全睡着了。

讲述至此，父亲起身开灯，上厕所。我记得他曾透露，少时遇一麻衣相士，注视他良久，说两眼间凹下，乃山根薄弱之相，没有凭依。又说，活不过三十一岁，正应了一九三八这一年父亲的虚岁。

"朦胧中听到大队人马走过的声音，军靴喀哩喀啦地踩在碎石路面，是日军……"父亲形容，那声音直接踩在鼓起的耳膜、跳动的眼皮和脑神经上，三人不约而同地坐起。中尉副官禁不住牙齿打颤，弹药兵抓起枪想往外冲。父亲伸手制止，等敌兵最后一小队通过，三挺机枪往地上一架，密集卷起一排弧形火烟。敌人沿右边大路窜逃，他们则乘隙扛枪从左侧干河沟退走，直奔团驻地张家口。天亮以前枪声不断，野地不时爆燃开照明弹。从河床翻上另一条小路，他们钻进了另一片树丛。

"身上的衣服被荆棘、利石刺得稀烂，血迹、灰土和汗水混黏在一块儿。人人脸色灰败，我嘴巴干呛呛，长满了火，挤不出一点口水来。归队时，发觉全连只剩下七个伙夫、五个传令，连同前线回来的我和弹药兵，计十四员。上级从别连调拨来二员，计十六员新编成一排。全军再度退往蕲春、黄冈时，已是十月初旬。团长再度下令新编的我这一排留守，阻截日军！"

父亲说，拿下棋打比，这一排就是一颗牺牲子。结果这回敌人没从正面攻打，绕过了隘口，直接干上主力部队。虽然这一年子弹曾划破父亲后颈，命还是侥幸地保存了下来。难过的是，在老家想儿子哭瞎眼的母亲却先走了！

"家里寄的九封信，您都没收到？"我问父亲，"还记得信的内容吗？"

"军中怕影响士气，全扣了。信是你姑妈写的。第一信说：妈妈病重，请赶紧回来服侍汤药……第二信说：妈妈成天念你之名，茶不思饭不想，喃喃道：'家亨，喔，家亨回来了！'有时精神错乱，四壁乱摸，放声大哭。第三信说：妈妈走了，丧事由前妈生的大哥、二哥变卖家产安葬……第四信说：你的孩子死了，你的妻子谭氏改嫁，你在国而忘家亡家……"

泪水在父亲眼眶打转，他的声音开始嘶哑。出川前父亲原已结婚，育有一女。不过年余，女儿竟然饿死，妻子被逼改嫁，古往今来乱世人的遭遇何尝有异。

往后几封信，姊姊气急地质问他：怎忍心不回信？为何不回信？且追问部队，这人是否已阵亡？果然已死，死在何处？当部队转进湖南常德时，又有一信，欲前来接陈家亨的灵回乡。这时父亲才看到信，他写报告给团长说，战事已告一段落，必先齐家才能报国，要求请假回乡祭母。

团长说："战事半个段落都没有，任何人都不能请假。即使让你请假，你回得了四川吗？到处都在征兵、募兵……""的确！"父亲说，"不被国军抓走，也会被红军掳去。当时红军的宣传是，即使不战死，也会冻死、饿死、晒死、徒步死，九死一生的路只有到延安。"

父亲的部队从湖南搭货车两日夜到广东；从广东徒步一月余至广西；再从广西徒步四十天到云南。其间补给不足，水土不服，兵士精疲力竭，拉痢又患夜盲，散失近半。而抗战八年的时间也才过一半，距反攻腾冲、血战滇西还待三年。

今夜我在灯前记下这一鳞半爪，想到父亲晚年的无语，很像杜甫《垂老别》"弃绝蓬室居，塌然伤肺肝"描写的心理：人生离合，哪管你老年还是壮年，从此与家庭决绝，肝肺为之痛苦得崩裂！

一九八八年五月，终于我陪父亲回到他阔别五十余年的家乡，人事全非，亲长无一存者。又过十四年，他卸下身心重担，埋骨于台湾北海岸。

——原载二〇一二年九月九日《联合报》副刊

河　流
——最后一堂国文课

　　"长江离开群山围绕的西陵峡，才从山地进入平原，水流丰沛浩大。在宽阔的两湖盆地中，它与从南方奔赴而来的沅江、湘水会合，而在北方接纳了汉水、沔水，水势更加壮阔。到了赤壁底下，玄武岩构成的地形突兀坚硬，亿万年的冲激侵蚀，终于切出深广的水道。江流滚滚日夜不绝，澎湃、浸漫，辽阔如同海洋。我的朋友张梦得贬谪黄州，在他住屋西南边盖了一座亭子来欣赏江山开阔浩壮，而我二哥苏轼将它命名为'快哉亭'。"

　　上面的文字来自苏辙《黄州快哉亭记》，你们应该非常熟悉。

　　　　江出西陵，始得平地，其流奔放肆大。南合沅、湘，北合汉、沔，其势益张。至于赤壁之下，波流浸灌，与海相若。清河张君梦得谪居齐安，即其庐之西南为亭，以览观江流之胜，而余兄子瞻名之曰"快哉"。

　　这两天我利用课堂上你们写考卷的时间将它翻译出来，希望能完整传达这段文字给我的感动。大概没有人比苏家兄弟更了解长江切穿三峡时的澎湃激动，你们应当不至于忘记他们两兄弟正是来自四川，江水带着年轻的他们进入一个广大的世界，足履目睹嵩山、华山、长安、汴京……山间汇聚的丰沛泉源让这条河流再无犹豫，出发。我时而看着窗外草地上的阳光，没多久乌云积聚，开始降下大雨。你们从考卷中抬起头来，看着窗外的雨势，然后无可奈何低头继续考试。我刻意选择了一些词汇，诸如离开、会合、接纳，使这些河流充满意志（雨水对于草地应该是好的）。我希望我的体会不至于扭曲苏辙的原意，因为这原本是一篇谈论意志与生命的文章，而我选择在这个时刻重新对你们提起，是因为如果我们换个角度分析这段文字，会发现在叙述、写景的背后，它的主题其实是：出发、相遇、挫折以及完成。

铃声响起，停笔，交卷，教室一下子又充满你们的声音。你们已完成了这三年最后一次考试，在你们即将重新启程的时刻，这应该是适合的主题。

你们即将毕业，大考之后，你们的人生终于是条开阔的河流。我将考卷交回教务处，因为如此想着，心情竟也跟着激动了起来。出发，多么令人期待的字眼，你们已为此准备许久，我相信你们已经准备妥当——我知道你们心中澎湃着对于未来的热情，更重要的，你们拥有令人欣羡的才质，例如勇气、同情与智慧，这些是一个对自己怀抱着憧憬的青年，所能拥有的最好资源。我回到二楼的办公室，从我的座位往外可以看见四棵高大的木麻黄，即使阴雨，依旧葱郁。

智慧、同情与勇气，这当然不是我的发明，高三下学期我们读《中庸》，鲁哀公问政，孔子回答："知、仁、勇三者，天下之达德也。"智、仁、勇：智慧、爱与勇气。（你们不应该忘记，《论语·颜渊》："樊迟问仁。子曰：'爱人。'问知。子曰：'知人。'"而孟子则告诉我们"仁"是"恻隐之心"，一种伟大的同情。）我一直记得初读到这段章节时心里的震动——我觉得它们无比简单、深刻，仿佛天启，又诧异于它是如此"现代"，直接摇撼我们胸膛中跳动的心，当它们卸下文言的外衣。或许人们胸中跳动的心，本来就没有古今、时代的区别。这也是我在你们身上所看见的——你们有分辨真伪的智慧，有不竭的爱与同情，有反对他人与自己的勇气。我相信你们已准备妥当。

雨稍微小了一些。

那么出发，为精彩的相遇而准备。

你们会在未来遇见更多志同道合的友伴，那是人生中最值得喜悦的事情之一，他们是汇入你生命中的河流。他们可能如诗人杨牧所说，是你们"年轻的飞奔里"，"迎面而来的风"，他们或许不如自然这部"伟大的书"，却也时常能让我们在"苦恼时有安慰，挫折时有鼓励，软弱时有督责，迷失时有南箴"。

离开了三峡，湘、资、汉、沣、沅、漓正等待着长江。

高中时我花了许多时间在编辑校刊，过程绝非只是一本刊物的完成。某日午后，我惯例从课室出走，到社办寻求"庇护"，却意外地里头已经有人坐在最角落的位置，背对着门口，专注地忙些什么。我认得那个削瘦的穿著卡其制服的身影，他是大我两届的学长，极具个性才华，我曾反复阅读所有他刊出的文章、设计，记得他在班级联合会上对主任、组长咆哮（我并不鼓励你们如此，现在，当然），我请了公假但他肯定是逃课，这大概就是平凡与不朽的差别……总之，他是我的偶像。我并没有出声，而他也没有回头，我不认为打扰他是个好主意，或许我只是没有勇气与他交谈。下课后我回教室一会儿，再回来他已离开。

有点遗憾，不过大概也只能如此。一年以后我上了大学，南下到中部一座山上的学校参加比赛，意外地发现他的身影——原来他也读了中文系，在另外一所学校。这次我没有犹豫，上前与他交谈。那座学校以教堂和好大一片相思林闻名，我们随意聊了些过去和现在的人跟事，然后道别，并没有留下联络的方式，然而我却感觉心中有什么重大的事情于是确定，关于理想，关于我是谁或应该是谁。在那座山上。

四年后我毕业，然后退伍，教了一年书，换了一所学校，而那位学长也正好接了同一所学校的聘书。我们终于频繁地往来，直到两年后我离开那所学校，但那时候我已经了解：朋友给你的安慰、鼓励、督责，给你的力量，可以超越空间与时间。

你们一定不会惊讶苏辙的《黄州快哉亭记》是为一个他们兄弟共同的朋友而写，一个会在寒冷落拓的冬夜里陪你一起看竹影月色的朋友：

元丰六年十月十二日夜，解衣欲睡，月色入户，欣然起行。念无与为乐者。遂至承天寺，寻张怀民。怀民亦未寝……

张怀民，北宋清河人，名梦得。

那些不可思议的日子，当朋友在我们身旁，在我们心中。

校门口开始有人离开学校。有些各自拿着一把雨伞，并肩而行，有些则两个，甚至三个人一起挤在同一支伞下，笑闹着离去。

天色好像又暗了一些。

我希望你们在生命的航道里尽可能地接纳，包括朋友，也包括挫折。

我们往往低估了挫折所带来的破坏。

挫折可以在瞬间剥夺一个人的存在，我的意思是，挫折让人不再相信自己原本所相信的一切——当一个人怀疑智慧，失去爱、同情与勇气，你们知道那会有多可怕。

> 自余为僇人，居是州，恒惴栗；其隙也，则施施而行，漫漫而游。……幽泉怪石，无远不到。到则披草而坐，倾壶而醉，醉则更相枕以卧，卧而梦。意有所极。梦亦同趣。

我们不忍心苛责柳宗元的颓废，当他到了永州，太大的挫折不免让人放弃，以为松手就是解脱。然而当生命失去了信仰，剩下没有目的的"漫游"和大醉，即使醉后仍然有"梦"，大概也只是徒增煎熬。

只是挫折在所难免。前面的《黄州快哉亭记》，亦是写于苏氏兄弟最困顿的时光。黄州是失败、污点，即使是生性豁达的苏轼都在这一时期写过："君门深九重，坟墓在万里。也拟哭途穷，死灰吹不起"这样的诗句，更在给朋友傅尧俞（字钦之）的信中写道："轼去岁作此赋（《赤壁赋》），未尝轻出以示人……多难畏事，钦之爱我，必深藏之不出也。"读之令人迷惘。苏辙当时谪放筠州，为这难题提出了一个解答：

　　　　士生于世，使其中不自得，将何往而非病？使其中坦然不以物伤性，将何适而非快？

　　这是《黄州快哉亭记》的最后一段，我的翻译："在人生的旅途中，如果一个人忘了自己原本的模样，那不管到什么地方，他都不会快乐；相反地，如果他始终记得自己是谁，不因为外界的宠辱毁誉而迷失，那他到哪里都满足完整。"

　　三个朋友，在奔流的江水前相互提醒，试图找回那个遗失的自己，黄州不再是耻辱，它是考验。

　　而赤壁坚硬绝对的阻挡，造就了江水渟蓄浩大，这就是生命的完成。

　　这就是我要对你们说的。

　　我们往往低估了挫折所带来的可能。朋友和挫折，同样帮助我们长大。

　　阴雨似乎使夜晚提早来到。你们大概已买好晚餐，准备另一回合的苦读。我冒着雨走到车停的地方。雨水可以滋润。我确定这样的雨是好的。

那么出发，迎向所有走向你生命的：挫折、迷惘、朋友、勇气、同情、智慧，在往复崎岖的旅程中，有一天你会听到身后逐渐清晰盈耳的潮声，当你回首，你将看见一条开阔奔腾的大河——

波流浸灌，与海相若。

——原载二〇一二年七月三十日《自由时报》副刊

活在哪里最幸福

人和人的记忆系统因目标感的不同，
而存在千差万别。
温柔婉转微风吹过的麦田，
波澜壮阔寒气逼人海岸边，
不论是缠绵不舍和绝然的虚无，
还是甜蜜缱绻的朝思暮念，
总有一处隐匿你最初或者最终的幸福。

恶梦里的日本

自从去年三月十一日，日本的生活失去了现实感。最初是海啸造成的损害，看着电视直播，不敢相信正在看见的就是日本的现实。然后是核电站爆发，以前我们都以为那是只有在科幻恐怖电影里面才会发生的事情，正在电视播放的场面会是现实吗？然后是日本媒体总是太晚报导的有关福岛的消息。例如，其实福岛第一核电站早就发生了堆芯熔毁。怎么可能是真的？若是真正堆芯熔毁，东京电力公司的发言人说话怎么可能那么地毫无其事？诸如此类，虽然我知道一切都是真的。

后来的日子，我们一方面怎么也忘不了在福岛发生过、正在发生、随时都有可能发生的事情，另一方面又尽力不去想那些可怕的事情。因为无论如何，目前在东京的生活还算是安全的，对不对？如果举家避难，到底去哪里好呢？需要多少钱？从哪里弄来钱？究竟值不值得？这些问题都太大，没想好以前就会精神崩溃的。说实在，今年在我周围有好多人心情不好，去看神经科医生什么的。医生告诉她们道："是更年期导致的，先吃中药看看吧。"然后，中药不生效，医生再配睡眠导入剂和抗精神药给她们。真的都是更年期造成的？会不会是自从去年三月积累下来的精神疲劳超过了一个人能够忍受的地步？

　　之后来了韩国总统登陆独岛（竹岛）的报导。好像前一阵子看过首尔的日本大使馆对面放置了慰安妇像的报导。对此问题，我的想法估计跟世界大部分人类保持一致，只是日本人正生活在核电站爆发不久的现实里，不大可能牢牢记住并日日更新在报纸上看过的外国新闻之最新动态。于是电视上看到韩国总统站在岛上的场面，我都愣了：怎么世界没等我们而变化得这么快？但是，那也远远无法比由于钓鱼岛问题而发生的反日风潮带来的惊讶。

　　十六年前在回归中国前夕的香港，我遇到过保钓运动。所以，这次在日本电视上看到从香港一路来钓鱼岛要登陆的战士们，很多我都有印象的。但是，九月中在中国大陆发生的反日示威，我却感到特别陌生，甚至异化。主要是那些示威者带的横幅上写的口号，前所未闻地野蛮，而且他们也敢放火、破坏工厂设备。除非有后台，谁敢在中国，在电摄像机前边，露着面孔从事那样的犯罪行为？当我注意到毛泽东肖像时，真有迷入了文革电影，如张艺谋《活着》、陈凯歌《霸王别姬》的感觉。后来，在电视上看到系着红旗的一千只渔船从福建沿岸正向钓鱼岛海域出发的镜头时，真害怕透了。我在课堂上每每教学生：历史上中国从来没侵略过日本，都是日本老远去侵略大陆的。

　　我知道，中间发生了石原慎太郎说东京都要买钓鱼岛，开始有许多人捐款，逼迫了民主党野田政权出面跟地主直接谈判，结果是令中国怒发冲冠地"国有化"。但是，一切都有点像梦，没有现实感。恐怕就是过去一年半时间尽量回避了现实的副作用，除了核电站问题以外的重要问题都难以进入日本人的脑袋了。此文并没有替日本政府辩白的意思。我认为日本不够重视邻国关系引起了目前的情况。但我们都很糊涂，像在恶梦里倒是真的，否则怎么会再出来安倍、真纪子等早失败而下台的政治家？

——原载二〇一二年十月十八日《联合报》

缪思的子民

路寒袖 / 文

高二时，由几位高三学长发起，我们共同创办了台中一中有史以来第一个现代文学社团"缪思社"。

那时，我初识现代文学，对浩瀚、新奇的文字之海而言，勉强算是踏上摸索的码头，阔辽的海景只能眺望兴叹，至于船只该如何驾驭根本毫无概念，突然有人吆喝、导游，当然迫不及待地报名、跟团。我的狂热似乎容易理解，但另外一些知交同窗竟也义无反顾，各自选择了凄美的姿态投入炽焰烈火，一所高中同时间冒出那么多的文艺青年，简直是天命。

在二三十名社员的名册里，高三生虽然占了一半，但险峻的大专联考当前，多数神龙见首不见尾，想必是情义相挺。真正问事的是翁志宗、钟乔、林安梧三位，我们高二因离大考稍远，摇旗呐喊特别大声，但也因为提早陷身，课业荒废更久，好几位在联考窄门之前撞得头破血流。

七〇年代台湾社会闭塞保守，信息贫乏，当时的艺文活动少得可怜，即使有，我们也很难得知。记忆中，我仅仅一次在双十路的美国新闻处听叶维廉演讲。社团虽然被校方允许成立，却无指导老师。当时一中有两位知名的作家老师，一是楚卿，另一为杨念慈，我们都曾前往请教，却仅是礼貌性的拜访，因为才刚踏上文学之路，连怎么问道都懵懂。倒是楚卿后来成了我高三的国文老师，他狂傲不羁的个性吸引了我们这批文艺青年，心想，作家当如是也。

当时我们的文坛信息主要来源是两大报（中国时报、联合报）的副刊，因此我还和室友集资订了这两份报纸，每天不仅一字不漏地阅读、讨论这两份副刊，还将它们分别整整齐齐地堆栈起来。如果还觉得无法满足，就跑到台中火车站前那几家书局，或中正路上的中央书局翻阅《中外文学》、《幼狮文艺》（痖弦主编）、《中华文艺》（张默主编）。

缪思社创立之后，立即成为一中活动力最强的社团，我们高二生是执行的主力，较活跃的核心份子当属阿豊、杨渡、廖仁义和我。记得五四时，阿豊制作了几款海报，拜托国文老师帮忙写书法，其中一张的标语写道：我们要降五四的半旗。我送去课外活动组审查、盖章时，主事的教官问我："这是哀悼吗？"我支支吾吾答不上来，但内心还是认为，这句写得好啊，既有诗意又气势，真是抓紧了变革的年代。

阿豊的确疯狂，居然在期末考的前一天漏夜苦读七等生的《离城记》，隔天还找我大谈他的心得，一谈又是一个晚上，结果我也陪着他半字未读。难怪我们的辅导教官有天找我过去，要我好好劝劝阿豊，先考上大学为重，等上了大学要写作再写作，写作真有急在这一时吗？其实我也认为有理，但自己当时已下定决定拒绝联考，无异是泥菩萨过江，还有什么立场与资格去当说客？果然后来阿丰惨遭留级，我虽侥幸毕了业，但流浪两年后才迷途知返地回到大学校园。

记得缪思社第一次大型的读书会是研读王文兴的《家变》，同仁讨论过后更邀请中兴大学文艺社的大哥大姐来校交流，那次双方可谓精锐尽出，高中生辩上大学生，俄狄浦斯情结、威权教养、两代矛盾与冲突等等词汇飞来撞去，傍晚时分，夕阳斜照在与会的每个文青的脸庞，无不散发出金黄色的光芒。

我们仿佛得了集体饥渴症，自找的、同仁介绍的，管他八大门派抑或奇门遁甲，小说也好，新诗也罢，不论读懂与否，全都生吞活剥地下了肚；而日据时代的作家专书还少，只能从有限的选集中去追索了。七〇年代台湾的思潮正处存在主义的浪头上，所以从加缪、萨特扩散出去的西洋小说也都来者不拒。

大量阅读后，作家的著作、篇名甚至内容，是我们的通关密码，文学书籍成了书桌上的新宠，教科书被打入冷宫，长眠于眠床下。倾心文学注定是苦恋，后果不言可喻。

缪思社同仁分年分批才进入大学，各自品尝苦楚，也各自挥洒人生。虽然后来继续走在文学之路的人寥寥无几，但当年并肩入山门，一同领受缪思洗礼的情感，依然清纯真挚。所以，缪思社有个令人难以置信的传统，那就是每年的大年初一固定是我们的同学会，三十多年了，从未改变。

——原载二〇一二年十二月《文讯》杂志第三二六期

世界贸易中心看人

——纽约日记三则

王鼎钧/文

向美国宣示

一九九六年九月三十一日（星期六）

老聂申请加入美国国籍，考试通过，他当年一同教书的老朋友订了一桌酒席表示庆祝，连我也拉去了。

我在五十年代读留学生文学，得知那时台湾留学生流行三朋四友结伴入籍，取得美国国籍之日，大家回宿舍痛饮烈酒，长歌当哭，哀悼自己从此披发左衽。我七十年代来美，没有再听到这一类故事，今天老聂这场喜宴，只见大家兴高采烈。

老聂喝了很多酒，说了很多话，我把他的话串连起来，为他作了一篇速写。

    "入籍"是移民最后一站，我从新移民一路行来修成正果。各位好朋友想得周到，美酒佳肴，高朋满座，我如归故乡只差一串鞭炮。

我十年前就有入籍的资格了，一直摆在那里没办。有一天我问自己，你是不是还要回到中国？当然没有可能。你在外面一个月可以住旅馆，在外面过一年就得租房子，如果在外面过一辈子，那就得买房子，"入籍"就是买房子。

还有一件事对我也是个刺激，儿子找工作填申请表，要他回答："你父亲是不是公民？""你母亲是不是公民？"工作单位按他的答案计算点数，父母是公民，点数多一些，录取的机会大一些。咱们这一生没有家产、没有门第声望留下，已经愧对子孙了，如果入籍能给儿女一点点方便，能给儿女增加一点点优势，我拼上这张老脸也得干。已经走到这一步，常言道：老牛进枯井里，剩下两个耳朵是在井口挂不住的，还是赶快做美国人吧！

现在我从堂堂正正的中国人，换成堂堂正正的美国人；从颠沛流离的中国人，做到颐养天年的美国人。我仍是血统上的中国人，已是法律上美国人。

回想移民前后，我从喝白兰地的中国人，到喝茅台的美国人；从吃牛排的中国人，到吃饺子的美国人；从穿西装的中国人，到穿长袍的美国人；从听钢琴的中国人，到听胡琴的美国人；从说英文的中国人，到教中文的美国人。天造地设，天罗地网，注定我有两个身份。

移民啊移民，中国是祖父，美国是养父；中国是初恋，美国是婚姻；中国是思想起，美国是豁出去；中国是我们的故乡，美国是孩子的故乡。故乡是什么？故乡是祖先流浪的最后一站！凡是有海水的地方都有中国人，那些中国人都变成外国人。

做一个死心塌地的美国人吧。咱们是"极无可如何之遇"，苦海有边，回头无岸。咱们都是过河卒子，脚踏两头船是不行的，身在曹营心在汉是不行的。"吾日三省吾身"，为美国谋而不忠乎？与美国打交道而不信乎？对美国的法律制度历史文化传不习乎？

舍不得、丢不掉、忘不了你是中国人吗？可是你已经做美国人了，上帝也不能使已经发生的事情没有发生。只有自言自尊，做挺胸抬头的美国人。只有忠信笃敬，做光明正大的美国人。只有步步下楼梯，后代要比前代高，做后来居上的美国人。只有为美国育才，做继往开来的美国人。

多少人做到了，咱们也都正在做。也有多少人做不到，或者不肯做。移民入籍，千辛万苦，倘若只是牢骚更多，麻将打得更好，美国又何贵乎多一个这样的美国人？中国又何憾乎少一个这样的中国人？

只有做成了像个样子的美国人之后，中国才会忽然想起来你是中国人，他们主动揭开你身上的美国标签，欣赏你身上的中国胎记。人心曲曲折折水呀，世事重重叠叠山！我们一生的遭遇本来是曲折重叠的。

世界贸易中心看人

一九九七年三月三十一日（星期一，雨）

今天，我到世界贸易中心去看人。这栋著名的大楼一百一十层，四百一十七公尺高，八十四万平方公尺的办公空间，可以容纳五万人办公。楼高，薪水高，社会地位也高，生活品位也高？这里给商家和观光采购者留下八万人的容积，顾客川流不息，可有谁专程来看看那些高人？

早晨八时，我站在由地铁站进大楼入口的地方，他们的必经之路，静心守候。起初冷冷清清，申灯明亮，晓风残月的滋味。时候到了，一排一排头颅从电动升降梯里冒上来，露出上身，露出全身，前排走上来，紧接着后排，仿佛工厂生产在线的作业，一丝不苟。

早上八点到九点，正是公共交通的尖峰时刻。贸易中心是地铁的大站，我守在乘客最多的R站和E站入口，车每三分钟一班，每班车约有五百人到七百人走上来，搭乘电梯，散入大楼各层办公室。世贸中心共有九十五座电梯，坐电梯也有一个复杂的路线图，一个外来的游客寻找电梯，不啻进入一座迷宫。

这些上班族个个穿黑色外衣，露出雪白的衣领，密集前进，碎步如飞，分秒必争，无人可以迟到，也无人愿意到得太早。黑压压，静悄悄，走得快，脚步声也轻。这是资本家的雄师，攻城略地；这是资本主义的齿轮，造人造世界。在这个强调个人的社会里，究竟是什么样的模型、什么样的压力，使他们整齐划一、不约而同？

我仔细看这些职场的佼佼者，美国梦的梦游者，头部隐隐有朝气形成的光圈，眼神近乎傲慢，可是又略显惊慌，不知道是怕迟到，怕裁员，还是怕别人挤到他前面去？如果有董事长，他的头发应该白了，如果有总经理，他的小腹应该鼓起来，没有，个个正当盛年，英挺敏捷，都是配置在第一线的精兵。他们在向我诠释白领的定义，向第三世界来者展示上流文化的表象。

我能分辨中国人、韩国人、日本人，不能分辨盎格鲁撒克逊人、雅利安人、犹太人，正如他们能够分辨俄国人、德国人，不能分辨广东人、山东人。现在我更觉得他们的差别极小，密闭的办公室，长年受惨白的日光灯浸泡，黄皮肤仿佛褪色泛白，黑皮肤也好像上了一层浅浅的釉。究竟是他们互相同化了，还是谁异化了他们？

这些人号称在天上办公（高楼齐云，办公桌旁准备一把雨伞，下班时先打电话问地面下雨了没有），在地底下走路（乘坐地铁，穿隧而行），在树林里睡觉（住在郊区，树比房子多，房间比人多），多少长春藤，多少橄榄枝，多少三更灯火五更钟，修得此身。

唉，多少倾轧斗争俯仰浮沉，多少忠心耿耿泪汗淋淋，多少酒精大麻车祸枪击，剩得此身。拼打趁年华，爱拼才会赢，不赢也得拼，一直拼到他从这个升降梯上滚下去，或者从这些人的头顶上飞过去。我也曾到华尔街看人，只见地卜堡垒一座，外面打扫得干净利落，鸟飞绝，人踪灭。这里才是堂堂正正的战场，千军万马，一鼓作气。

九时，大军过尽，商店还没开门，这才发现他们是早起的鸟儿。何时有暇，再来看他们倦鸟归巢。

二〇一二年八月十一日，附记如下：

> 十一年前，九月十一日早晨，国际恐怖分子劫持了四架民航客机，以飞机作武器，撞向纽约世界贸易中心大楼，纽约市著名的地标燃烧，爆炸，倒坍，成为废墟……这天早晨，他们使三千多人死亡及失踪。我当初以早起看鸟的心情结一面之缘的人，吉凶难卜，后悔没再去看他们下班。

莫言　莫不言

中国大陆的小说家莫言，有人说他是第二个得到诺贝尔文学奖的中国人，前面已有高行健；有人说他是第一个，高行健有法国国籍。

恕我直言，莫言应该算是第二个，对此等事，中国一向采血统主义，老高虽然入了法籍，他只是法律上的法国人，仍是血统上的中国人。共和国当年拉拢李政道、杨振宁，也曾打出中国人这张牌。得诺奖如果是光荣，理当把老高拉进来，如果是耻辱，那就得连老莫也推出去。一取一舍，自陷矛盾，缩小国格。

再说……

论文学成就，老莫在老高之外，另营殿堂，本土制造和外洋加工并驾齐驱，共和国足以自豪。诺奖在十二年内连续给了两个中国人，间接发扬中华文化，直接抬高中国的地位，两个比一个好。

老莫的《红高粱家族》出手惊人，他那时语言还不如今日成熟，意象亦时有重复，但已见潜力无穷。

他的天才经得起挥霍，作品产量丰富，作螺旋形上升，气概雄伟，风格沉实诡异，近期作品加入象征意义，在政治上有明显的针对性，但又能为现行的专政体制包容，既得一时，复争千秋。如果说，诺奖给老高微嫌仓促，接着又给老莫可视为一种补充。中国人有何理由不悦？

——原载二〇一二年十月十八日《联合报》副刊

全球化中说相声

何怀硕 / 文

　　说起相声，便想起北京侯宝林，台北吴兆南、魏龙豪。清末至今百余年，到了他们三位上台之后，相声艺术才更脍炙人口。侯宝林一生极其坎坷，历经反右、文革。听说当红卫兵高喊："打倒侯宝林！"侯说："不用，我自己躺下得了。"受难中不忘以谐谑笑傲对之。到八〇年代被北大聘为教授。晚年从事著述，有《相声溯源》、《相声艺术论集》等书。一九九三年逝世时才七十六岁。

　　台北吴、魏两位，实是相声发扬光大的功臣。在大陆政治斗争不断的时代，他们在台北，搜罗传统段子，整理修葺，也创作新段子。而且不遗余力表演、传播、录制相声集锦，以传久远。更悉心培养弟子，创立"龙说唱艺术群工作室"，现为"吴兆南相声剧艺社"，薪火相传。

　　今年八月底九月初，为纪念侯宝林九五冥诞，吴兆南号召侯宝林两岸的徒弟与徒孙，在台北举行《侯门深似海》的相声表演。北京侯大师的女儿及好几位一级演员光临台北，同台献艺，这是空前难得的盛事。

吴兆南再两年便九十大寿，他与魏龙豪是相声艺术台北双杰。可惜魏龙豪已于一九九九年病逝。他们两位确把侯宝林的相声，再推向另一个高峰。原来北京的相声，是市场、茶馆斗嘴卖唱的玩艺，天才侯宝林把它净化、提升，确立其优秀民间艺术的地位。不过，北京的相声，闲话太多，有点拖沓。在语言的节奏与韵律，情绪与调子的起伏快慢，轻重舒缩，叙事的逻辑，整体结构的严谨与紧凑，题材的扩大，时代精神的融入，为民喉舌与社会批评的发挥等方面，就我这个门外汉的旁观，台北双杰于侯大师，是青出于蓝而青于蓝。尤以《南腔北调》、《八扇屏》、《拉洋片》、《俏皮话》、《山西家信》等老段新编，可说已成经典之作。

　　相声艺术之所以有魅力，就因为它有不可取代的特色。它不是戏剧，不是歌舞，不是戏曲，也不是说故事，它却可以兼取并融，融合在以口说为主的语言艺术中。它不要化妆与服饰，（一袭灰青长衫，意在将视觉的干扰减到最低，以突出相声的语言——包括声音、表情、手势都属"语言"的范畴——为主的艺术特质。）也不要灯光、布景，不要背景音乐，纯粹是"语言艺术"。（有人加上化妆、服装与灯光布景及音乐，以为是"创意"，实则是"焚琴煮鹤"。）相声可以说是表演艺术中"物质材质"最少的艺术，它的形式与内容却可以无限扩大。表演形式上，它可包容说话、口技、方言、各地民间说唱、戏曲、歌曲等；内容则哲理、文学、政治、历史、民俗、语言、饮食、伦理、批评、杂学等等。优秀相声艺术家修养渊博，技艺精湛，寓庄重于谐趣，别有慧眼看人生，绝不是逗笑而已。这使我想到他们与老舍、叶浅予、王洛宾、张乐平、丰子恺这些二十世纪民族艺术家，他们都是贴近现实人生，既通俗又深刻的大师。老舍与梁实秋曾同台说过相声，可见学院中人也不轻视相声。他们有些人曾饱受苦难，大多已下台鞠躬，以后恐怕是"但恨不见替人"。

民间艺术最大的危机就是当代的"全球化"。西方社会学者老早指出"全球化就是美国化"。全球化不知不觉改变了各民族国家的文化土壤，使外来作物壮盛，本土作物萎弱。想想我们今日的小孩子天天喝可乐、吃炸鸡，本土的碗糕与四神汤怎能不越来越靠边？而今天，陈达的民歌与李天禄的木偶戏如何敌得过女神卡卡与"愤怒鸟"？如果还以为文学艺术的民族主义是狭隘、落伍的观念，正好让欧美的全球化吞噬了我们民族文化可贵的珍宝。当代"全球化"不是最大、最霸道的文化的"民族主义"吗？为什么我们不敢反对？

幸好相声的艺术传统薪火不息，许多优秀的传统段子都得到很好的整理和保存。彰化建国大学土木系有一位丑伦彰教授，自认从少年起得了"相声病"，为相声做了许多辑录、整理的工作，数十年如一日，十分可敬。他且与魏龙豪曾是忘年交。

优秀的文化艺术总有许多知音在天涯海角。上月十五日《联副》刊出访问吴兆南先生的文章中，他说，相声像一盆花，大家都说漂亮，就是没人浇水。我谨以此小文，呈献一瓢之诚。在全球化无情的浪潮中，我们更应该重视、呵护、奖励、发扬我们的大众民间艺术。

我对相声艺术社团与社会有一些期待，应该搜集、研究、出版有关说唱艺术的录音与书籍、文章，尤其是已过世的侯宝林、魏龙豪及其他名家的文字。也应出版传统与新创的优秀相声段子的文本，这对认识、改进、研究相声很有功用。其次，应鼓励新段子的创作，也应鼓励闽南话相声的创作。事实上相声是语言的艺术，什么语言都可以创作相声。闽南语有幽默、诙谐的特色，可以反映时代，应该有很好的新段子诞生。文化机构可以举办闽南话相声比赛。顺告读者：十一月二十三、二十四日，吴兆南相声剧艺社有《相声忧末日？幽默日！》三场在中山堂演出。这是难得的机会，有相声病者，不论微恙或重症，请共襄盛举。

——原载二〇一二年九月二十四日《联合报》副刊

我　看

万劭晴　陈芳烨　王娴煊／文

之一

　　我睁着眼的这十七个年头里，我一直都在看，一直让光线及色彩反射进我仅有的一双眼，投射入我的脑海，成为我的记忆。

　　从小就生活在拥挤的城市之中，城市中什么不多"人"最多，当然我双眼所及最多的也是人群。小学放学后，我坐在母亲办公室的一角，听不清办公室里正讨论着不知什么话题，但大人们脸上表情的变化，却成了我那时最大的乐趣。有些人叙述事情的方式极为夸张，眉毛在一句话之间牵动了数次，一下挑眉一下皱眉，眼尾的皱纹也真像只小鱼一般，跟着在情绪里悠游，而手势更是不能少，小小一件事演得像莎士比亚的舞台一般。当然，也有一种人专门在一旁答和，也不知到底有没有在听，就只一径地点头。然而，最让我感兴趣的是一位坐在自个儿座位，漠视一切的女生，她不参与八卦时间，但我相信她一定全知道了，因她嘴角变幻的角度早已泄漏她的伪装。

　　到了大一些，我对人群的观察从街头到电影，虽说人群的观察总是多变有趣，却不能解除心头上日渐增加的烦忧与压力，我开始渴望天空的无边。城市中看不到真正的天空，总似蒙上了一层灰，加上高楼大厦的层层阻挡，我期盼的天空成了一种遐想。终于，趁着探望外婆的机会，我看到了清澈的天，当我站在山坡上仰观这苍穹，感到了一种永恒的开阔与包容，而不是压迫，仿佛一个轻松的跳跃，我就可以跟随其中的一片云，一起飘游相同的自由。到了夜晚，只要仰起头，随处都有星儿在眨，连灰暗中的云也清晰。

我看这世界，从地上的人到天上的云，从不厌倦。借着这双眼，我看这人间，也看清自己。

之二

一直觉得自己是个沉默的人，总是独立在谈天的圈子外，冷眼注视世界，看山，看水，看花，看红尘众生。看这个事就久了，总想转移目光，去看那如烟如云的历史，看那消散已久的风云。

那该是多么华丽的年代。经过百余年的濡养，京戏的风华在清末民初达到了鼎盛——四大名旦、四大须生——京剧史上喊得出的人名，都是在那时出头的，孟小冬、程砚秋、梅兰芳……可惜！战乱把一切都烧成灰烬，那么绝代的风华，硬生生地落了幕，不管要多少代价，都只管拿了去！我只想亲睹大师风采，看看那个生机勃发、中西相会的年代！我想看，那段历史活着的样貌，那个传统真正活着的年代！如果这辈子的寿命不够付出代价，那就拿下辈子、下下辈子的来抵……要多少辈子来抵都行！只要让我亲眼看见那个华丽的年代！

只可惜，我是看不见的了……那个华丽的、京剧的年代远矣，只剩下古旧的唱片、影带可供悼念追思。属于名角儿的年岁早随大江东去。只能哀叹自己生错时代吧！无缘亲睹，只好伸长了脖子，拼命瞭望冲天飞鹤的影子。我想看，却无法看，即使拿命来换，也换不回逝去的那个时代，和一门艺术的生命。京华烟云，当真如烟如云，远矣！变动的风带走了京戏的风华，留下了千古绝唱。

　　只得将眼光从历史抽回，看着身处的红尘世间了！即使不是那么喜欢，我还是看着，看这个传统奄奄一息，甚至是气数将尽的年代。毕竟，这才是最真实的世界。

之三

　　我看，看深邃的风景里隐隐作动的草木连绵着，光在鲜艳的反射线上映照着，不能被打断而源源不绝。我看，用眼底下的神色目光，转动一片又一片似电影风格的画面，镜头带向跃动的灵魂与生命，看似活动不已的状态！

　　曾有那么一次，是在东台湾的旅行上，我在车厢中享受从未有过的"阳光普照下的宁静"，那是亮彩不断在眼前掠动的景象！我努力张大双眼，希望能多撷取几分属炎黄颤动着的小生命，让那些流过心头的记忆多些停留，最好能多几条突出记忆设限的分支，而在瞳孔与虹膜的通道上，这样地驻足下来。那时用双眼开始仔细记录生活周遭一切，而视觉领域的神经抓住每一刻的瞬间。

　　自然的灵魂就这么地宿在我的心房之中，看一段风与云飘动时的舞步与姿态，似乎也能勾动我深藏已久的韵律与步伐，我开始打开那段生命灵活而真诚的感动。草色如茵的平野，能被化作绿色风侠凭着地平线上的漩涡而冉冉上腾；一块溪旁小石淋着水的姿态，则是汗水渗透着的山林勇士；而一段段平地人少有耳闻的热烈故事，就从眼底的世界波浪般流出。我所看不见的虚幻魔力和看得见的光影绘动，随时同步伐地在地面上演着！

我看着，有时也许是紊乱字迹留下的古文之间的记号，有时也许是人与人的互动频传的激光束，有时也许是生活小芝麻留下来的微粒。然而在我内心的光影之中，挥散不了曾得到过的风景，是填入满载的感动而慢慢绽开来的美丽。希望我能把这纯真美好的瞬间景象排入人生不断行进的画格，把眼中的世界都化成能得出故事的动画板。

——原载二〇一二年四月十五日《中华日报》副刊

台湾人懒得提的十件事

张系国 / 文

十来年前，匹兹堡的公众电视台午夜结束节目时，总会播放一首歌曲《凡事往好处看》。一面播放歌曲，一面屏幕上就出现飞碟用死光毁灭匹兹堡城的画面。等到全城都被毁灭得差不多了，歌者仍然在重复："尽管人生都不如意，你我凡事往好处看！"

这首歌是英国的喜剧剧团蒙迪·佩登演出《阿B正传》的主题曲，原意应该是为了搞笑，歌有点单调，却意外成为英国人普遍喜爱的经典歌曲之一。二〇一二年，伦敦奥运闭幕的节目里也唱这首歌，或许因为它很能反映英国人的民族性坚忍的一面。

其实台湾人同样具备坚忍的性格，所以才会有《爱拼才会赢》这样的流行歌曲。但不知从何时起，大众媒体都喜欢绘声绘影、只看事情灰暗的一面，尤其是政治和经济简直一片愁云惨雾，主政者也被批评得一无是处。

事情真有那么糟吗？"凡事往好处看"，我随便想想，就可以列举出台湾人都知道但懒得提的十件事来：

第一，威权时代结束后，李、陈、马三位领导者都没有蓄意搞独裁。您看埃及民选的总统，才上台没多久就想大权独揽，搞不好又成为新的独裁者。什么阿拉伯之春，春天刚降临就入深秋。比较起来台湾确实好太多，没有一位总统赖着不肯下台，奠定了民主的传统。

第二，李、陈、马三位都不好色，而且既不爱女色也不爱男色，所以台湾政坛至少没有太不像样的性丑闻，比欧美日俄许多国家都强。

第三，现任领导者廉洁自持。不论怎么说，从贪腐转到廉洁，至少改变的方向是正确的。

第四，不像许多地方，因为经济搞不好、民怨无处发泄就不断更换政府，换来换去弄到后来谁也不必负任何责任，搞得经济每下愈况，展望未来毫无希望。台湾至少政局还算稳定，经济虽不好但比上不足比下有余。

第五：保钓空谈了多少年，今年居然稍有起色。大陆的海政船经常到钓鱼岛水域巡逻，台湾也万船齐发予日本以颜色。

前五条是关于政治，下两条是关于媒体。

第六，媒体至少在翻译方面非常具有创意。Bumbler原意接近"老好人"，翻译成"笨蛋"令人惊艳而叹服！因为领导者太廉洁，居然有媒体批评他把薪金都储存起来也算贪污，虽然匪夷所思，也是一种创意批评的表现。

第七，关云长兵败走麦城，黎智英挥泪归香港。外资（港资）无法继续控制台湾媒体，煽色腥的苹果终于有改变的可能，也算台湾媒体的惨胜。

但是最要紧是下面两条，这是我真正想强调的：

第八，台湾的小资企业普遍有创意，无论烘烤面包、制作轮椅、穿衣、吃饭，都肯用心，因此服务业有杰出的表现。有创意而用心的服务，是台湾小资企业的特色。

第九，台湾有全世界功能最强大的便利商店。在连锁便利商店里你可以喝咖啡、买早中晚餐宵夜加水果、购年货、买捷运火车高铁飞机票、缴税、复印文件、传真、买书、送货收货甚至上网等，就差不能住宿。

我可以大胆预测，将来能够提供给老年人合理价廉的居家照顾服务的，正是这些功能强大、又有创意而且服务用心的连锁便利商店！大部分的居家照顾服务其实重点不全在医疗，这是距离最近的连锁便利商店很容易可以提供的。这就节省了设立非营利性居家照顾服务系统的庞大费用。连锁便利商店能够提供居家照顾服务，全世界都会羡慕惊叹。

第十，台湾是观光胜地和老年人退休的福地，侨胞都想回台长住！

——原载二〇一二年十二月五日《联合报》

一只爱吃辣的狗

桑品载 / 文

几年前，我搬到这个小区第一周的某天午后，见到四十多年没见过面的"小袁"。他按了门铃站在门外，我应门后与他面对面站着，他是小区警卫，搬家时进进出出，在警卫室外见他几次，所以还以为他是来谈论关于小区的事。

"我是小袁——袁日生，长官一定不认识我了。"他说，操着湖南腔。

一霎时我想不起和他的关系。他满头白发，背微驼，估计年纪总在七十多岁。这个年纪和"小"字很难联想，这必然意味着这个人在我记忆里消失很久了。

我请他进来，双方坐定后，从他谈话里终于想起，他果然曾叫"小袁"，那已是四十多年前的事了。

一九五一年深秋，我官校毕业，二十二岁，分派到一个叫"反共救国军"的单位，任少尉干事，驻地在马祖前哨的东犬岛。

船在黄昏时分靠岸，天空飘着毛毛雨，几位水手正在码头上忙着打缆要把船身稳住，灰蒙蒙中见有个人缩着身子快步踏着木板上了船。他穿着士兵军服，东张西望像在找什么人，见到我，目光就打住了。

他向我举手行军礼，"报告长官，你是不是桑……桑干事？"

我点头承认，他立刻很高兴地说："我一看就是，你肩膀上两条杠杠还是晶亮晶亮的，官帽官服也是新的，年纪也像。"

我在他言词引导下记起了四十多年前和他初识的这一幕，就立即升起了和他热络的感觉。接着，我又想起了一些事。

"大伙都叫你小袁，因为你是这个单位里最年轻的。"我说。

"是啊，见到你那年，我还不到三十岁哩，不过你来了之后，你就是最年轻的了。"

我又想起，他在这支部队里是少有的"外省人"。反共救国军，背景是游击队，共有一万多人，浙江、福建人最多，其次是广东和山东人，原本都是乌合之众的老百姓，一九四八年后，国民党军队撤离大陆，他们就在沿海地区活动，陆上和海上都有。原本很活跃，渐渐失去了优势，就被国军整编为正式部队。不同于其他部队的是，他们被限制长期驻在外岛。台湾实行征兵制后，三军各部队出现了"新兵"，唯有这支部队却维持原汁原味，全是后来被称为的"老兵"。

一个湖南人怎么会出现在这个部队里？故事是：袁日生的部队原本驻在浙江临海县，共军打到临海时，他趁着部队撤退，"开小差"成了逃兵，想不到的是，他没被共军俘虏，倒被游击队俘虏。

我在东犬岛工作不到一年就调离，不过仍在反共救国军，只是从陆地单位调到海上单位，在一个叫"长江艇"上当政工指导员。没再和袁日生联络，渐渐忘了这个人。

"你什么时候退伍的？"我问他。

"我没有退伍，我开了小差。"他脸上透着神秘，也有些得意。

"你毕竟还是开小差成功了！"我笑着说。

"是啊，有志者事竟成嘛。"

他是在小区住户名单中看到了我的名字才来相认，否则，路上相见，绝不会认得。

袁日生是我老朋友，也是我在这个小区第一个新朋友，在中庭常相见，打个招呼，说几句话，他下班时会来我家小坐。他如今居然还是单身，令我惊讶。

有一天黄昏，他下班时我正在中庭，他问我要不要去他住的地方看看？我说好呀，就跟他去了。

他住在小区附近的一间铁皮屋里，称为"一间"不是"一栋"，是因为那的确只有"一间"，而且左右前后都没有别的房舍，像一个废弃的碉堡。屋子建在一个小斜坡上，四周长满了杂草，其间有许多高矮不一的灌木树。铁皮屋只有一个门，门外有个小平台，有只黄狗正趴在那里睡觉。

听到脚步声，黄狗立即起身，摇着尾巴走向袁日生，眼睛却盯着我这个陌生人。

"这条狗是我养的，跟了我七八年了。"

"叫什么名字？"我问。

"王八羔子。"

"王八羔子？怎么叫这名儿？"我露出怪异的表情。

"呵，它原本是条流浪狗，我是个粗人，叫它做啥就是啥。叫惯了，你不叫它王八羔子，它还懒得理你哩！"

屋里有一张单人床，一个单人座沙发，一把木椅，都很旧。床铺左后方有个小冰箱，冰箱旁有小炉台，台边有小瓦斯桶，一个饭锅和铁锅。地是泥地，隐隐闻到泥腥味。

他把椅子搬到屋外，请我坐，另只手提着塑料桶，说要去不远处的公共厕所接水煮饭。

"你别走，在这里吃饭，我炒湖南菜给你吃。"不等我回应，他就快步走了。

太阳正迅速西沉，黄昏心急地要去赴夜的约会。王八羔子下颚贴地，趴在我面前与我四目相对。它显然已明白我是它主人的朋友，但我轻轻向它招手，它却不肯过来。

袁日生在房里炒菜，菜香飘向屋外，任何鼻子都闻得出他炒的是辣菜，我虽在屋外，都被辣气熏得流泪。

一盘回锅肉，一盘青椒炒肉丝，一小碟蒜苗腊肉，还有一大碗酸菜鱼汤。我们面对面坐着喝金门高粱。王八羔子靠着桌沿坐着，眼睛盯着主人看。袁日生不时将肉杂丢给它，它吃得津津有味。

我曾在江西部队当兵，是经过吃辣训练的，但江西人的重辣，似乎比不上湖南人，面前这几道菜，辣得我直哈气，但奇怪的是，王八羔子竟不怕辣。

一只爱吃辣的狗，这么怪的事，我从没听过。

"这狗也吃辣？"

"我吃，它就得吃，不吃，饿死活该！"

"你们倒是人狗一体了！"

袁日生说，七八年前，他就在台中当大厦管理员，有天一大早，从市场买菜回来，一只黄小狗就跟闻屁似的跟着他。他走快，它也快，他走慢，它也慢，他停它也停，他挥手踢脚赶它，它盯着他不动，就这么一路跟到家。

袁日生没钱买屋租屋，只好自己动手盖铁皮屋，这几十年来，唯一的工作就是当公寓或大厦管理员，一个地方被辞退，就另找一家；一个都市不想待了，就到别的都市。那个经济起飞的年代，台湾到处盖房子，管理员或称警卫，反倒成为热门行业。

铁皮屋尽可能盖在工作处附近，因为是违建，常有警察来取缔。他就和警察扯皮，皮得过就继续住着，皮不过另找地方再盖。反正铁皮不会被没收，不消一天就盖好了。

王八羔子跟着他住、吃、流浪。狗本不吃辣，他的训练方法是，不吃拉倒，受不了走了也无妨。

袁日生说，狗开始时当然是拒绝的，奇怪的是，它宁可挨饿就是不走。有一天，袁日生看它饿得口吐白沫，以为活不久了，心里觉得不忍，可是转念一想，难道要我跟它不吃辣？难道要我专为它做不辣的菜？休想，我没钱，没工夫，受不了就快滚吧！

狗其实可以自己去找吃的，野狗不是这样吗？偏偏这王八羔子好像有了主人就有了身份，硬不肯与野狗为伍。但总不能真的在食物前饿死，于是，它吃辣了。

袁日生冷眼旁观，发觉它是从啃猪骨头开始，猪骨是用来熬汤的，不过，汤里也常放了辣椒，只是没菜那么辣。王八羔子咬碎骨头，骨髓总不辣，就这么掺和着，走进主人辣的生活里了。

如此自我煎熬，自我锻炼，没过多久，袁日生能吃多辣，它就能吃多辣。袁日生去上班时，狗看家，他会把前一晚的剩菜剩饭拌搅在一个铝盘里，他回去时，盘子被舔得干干净净。

我听得入神，不由得对王八羔子产生了敬意。那以后，多次见到它，好像不觉得它是狗，是另一个袁日生。

回去和妻子谈起去袁日生住处经过，也提到狗。妻说，哪天约他来家吃饭，湖南菜她不会做，菜里多放辣椒却也简单。

几天后，他带着王八羔子一起来，看狗吃辣菜，成为全家大小当日奇观。

袁日生既然是单身，我和妻子都欢迎他常来。不久后是中秋节，他和狗便在我家过节。

有天我回家，在中庭被他叫住。他说，他要回湖南探亲，请我帮他喂狗。

"这王八羔子就一样事很啰嗦，你也明白。"

"吃辣！"

"对对，小时候吃辣像要它命，现在闻不到辣就不吃。"

这话别人听了一定不信，我是信的。

"你放心，我每天喂它一次。"

"剩饭剩菜加个小辣椒，拌在一起就行了。我回去顶多半个月就回来。"

他是逃兵，因此政府给老兵的补助、优待，他全没分。警卫的收入不高，他每月领到薪水后固定省下一些，在邮局开个户头，存到一定数目，他才回去。

他向住委会请了假，动身前一天来看我，我塞给他一个红包。

第二天起，我每天晚饭后就去喂狗。当然是辣菜辣饭。王八羔子远远见到我就发出应该是表示欢迎的呜呜声。我打开塑料袋，把带去的食物倒在它惯用的铝盘里，坐在椅子上看着它吃。

过了十几天，算算袁日生回来的日子差不多了，意外听到一个消息，说袁日生的铁皮屋要被拆掉，因为地主要平地盖公寓，那铁皮屋是违建。

听到消息后隔一天是星期天，我下午专程去袁日生住处看是什么状况，果然见到有辆挖掘机停在那里，有三个戴黄色安全帽的工人，站在铁皮屋前指指点点。同时听到狗叫声——不是普通的叫，是狂吠。

我快步走到屋前，明白工人要拆铁皮屋，王八羔子却不许他们动手。三个工人有的拿木棍，有的拿铁锹，王八羔子在他们面前像个快速转动的机器，来回奔走，露出白森森的牙齿，两眼充满杀气。

工人用工具在它面前挥舞，还有人捡起石头砸它，它头上身上都挨砸，却没有退却的意思，依旧狂叫。

那个拿铁锹的火了，走前一步对准狗身一锹打下去，王八羔子很机灵地往旁一闪，铁锹没打到狗，倒把一棵小树打折了。

我看情形不妙，连忙陪笑脸站在工人面前说："别打，别打，狗主人去大陆了，过几天就会回来。"

"我们可不等，老板说今天就要拆。"

"再等两天吧。"

"不行！"

我一时拿不定主意，王八羔子在我身后还叫个不停。我转过身去，弯下腰拍它的头，安抚它情绪。但这狗好像连我都不认识了，要跟那三个工人拼命似的，窜来跑去，守着门，没半点让路的意思。

"不许叫，王八羔子！"

但我的命令无效，它还是狂吠，叫得嘴角溢出白沫，眼珠出现红丝。

天已经黑了，工人越来越不耐烦，王八羔子却不因为人有什么感觉而停止叫声。有我在，工人总不能把它打死。彼此僵持了十多分钟，大概工人饿了，就有一个对我说："那今天我们就不处理了！"

"明天呢？"我问。

"明天一定要处理的啦！你先生还是把狗带走吧，不能因为狗影响工程。"

工人走了，确定人影消失，王八羔子才停止吠叫。它叫累了，趴在地上喘气，喘气声又像是叹息声，一声接一声。

我和狗也都还没吃饭，心中忽生主意——不如就把王八羔子暂时带回我家住，等袁日生回来再做处理。

我弯下身，贴着狗的耳朵轻声细语地把我的打算说给它听，我不知道它是否听得懂，然后，我进屋去拿挂在床头的狗链。再出来时，王八羔子忽然像弹簧似的站了起来，对着我叫，身体一边往后退。

它这个动作，显然是拒绝拴狗链；而拴狗链就意味着要离开这里，它拒绝离开。

"王八羔子，你不跟我走，明天就可能被他们打死，你是去避难……避难，你懂不懂？"

说着，我双手撑开链头项圈，要把它套在狗颈上，王八羔子左闪右躲，我一不留神，它冲到树林里去了。

树林里一片漆黑，它又好像为了不让我找到，居然不叫了。

"王八羔子，回来吧！你要听话呀，你主人明天不回来，后天也该回家了。你今天还没吃东西，你去我家，我弄好的给你吃。"

我几乎恳求、哀求，但不论怎么说，王八羔子就是不现身。

万般无奈，我只好回家。

第二天是星期一，办公室有许多工作，但心里一直想着王八羔子，不知工人会怎么对付它？也想到袁日生，他今天应该回来了吧？他不是说常搬家吗？他一定有办法把狗和他的家私一起带走。

终于到了下班时间，我没有回家，直奔工地。感谢老天，铁皮屋和王八羔子还在。

它一贯姿势下颚贴着地守在门口，见到我，摇摇尾巴，身体却没站起来。我蹲下，摸它的头，它低鸣了两声，是唯一回应。

我走进屋里，打算给它弄些吃的，因为它有两天没吃东西了。在冰箱里找到半个肉罐头，几根小辣椒，米桶却是空的，我把辣椒用刀捣碎，拌在肉里。

把狗食拿到门口，王八羔子嗅了嗅，吃了。灰暗中有个工人走过来，他表示自己的身份是工头。

"这只狗我们赶了一天它都不走，先生你来了正好，明天我们一定要整这块地，狗就请你带走吧！"

"我昨天就打算把它带走，可是它不肯跟我。"

"那怎么办呢？"

"我不是请你们缓个一两天吗？等它主人回来会处理的。"

"这不行！"工头坚定地拒绝，似乎主意已定，不想再跟我纠缠，掉头就走。走了几步，又回身丢下一句话："这只狗一定不能在这里！"

我和工头说话时，王八羔子停止吃东西，空出嘴，不停地对他狂吠。

等工头走远，我又劝王八羔子去我家，然而和昨天一样，它一见到狗链就叫，我走近它，它又躲进树林。

第二天，我向公司请假，九点多钟就去工地。下了车门，就听见里面传来狗叫声。我跑进去，见铁皮屋外停着一辆蓝色的公务车，那里站着一群人，戴着白帽，原来是市政府环保局捕野狗队人员。他们拿着粗长的铁棍，棍头绑着圆形的铁丝网，也有人拿木棒。

王八羔子守在门口，叫声更凄厉。我站在人狗之间，不待我开口，捕狗队员之一说："你走开，不要妨碍公务！"

"你们要怎样处置它？"

"有人报案，我们要把它捉走。"

"然后呢？"

"三天内，等主人来领。"

再然后，我知道，若主人没来领，那就打针让狗安乐死。我想，这或许是个办法——三天，袁日生总该回来了！

"可是，请你们别伤到它。"

捕狗队共三人，各拿工具，成包围的三角形向王八羔子走去。王八羔子不间断地狂吠，身体快速窜行，坚守门口。拿铁网的要网住它，它被铁棍打到，但没被网罩住，尖叫一声的同时，迅速退到屋内。

捕狗者同时跟进，我要进去，被阻挡，只好引颈从门口向里看。屋里空间狭窄，狗被逼到一个角落。

眼看就要被捉住，它忽然一溜烟似地钻进床下。

四个床角各由两排四块红砖架起，这个高度，人是钻不进去的，何况床下一片漆黑。

王八羔子大概叫累了，也或许觉得找到了安全庇所，叫声小了，听起来像呜咽。

然而，人毕竟比狗聪明，更何况这些人有着丰富的捕狗经验。倒是王八羔子的机灵把他们激怒了，先是有一人趴下拿木棒在床下乱挥，狗大概被打中了，发出哀凄叫声。

另有一个拿铁棍的，到床的另一边，把床拉开，露出缝隙，他半个头伸进缝隙里，单手握着铁棍向下捣。

狗被打中了，发出痛苦的尖叫声。队员得了手，打得更起劲，同时对另一边使木棒的说："它去你那边了，你用棒子打。"

一张床的空间，一边有铁棍，一边有木棒，交互击打，想象中，王八羔子在棍棒中穿梭，它岂能躲得了。

"不能打啦！你们不能打啦！王八羔子，你出来吧！出来吧！"我在门外大叫，和守门的队员推挤想要进去。

人的吆喝声、棍棒打击声与狗的哀叫声在那小小空间交错着……突然，传来一声凄厉的惨叫，之后，狗声停止了。

"把床掀起来，狗拖出来！"里面的人说，门口的闻声进去。

不久，有个队员拖着铁棍走出来，棍尖沾满血迹。王八羔子整个身体蜷缩在网子里，我凑近一看，它——已经死了。

它口吐白沫，全身是伤，处处见血，它的眼睛还睁着，眼角有红色的液体缓缓流下，是血或许还有泪。

捕狗队的公务车，车体就是个大铁笼，一般捕到野狗后，关进笼子送走。不过，他们捕到的一向都是活狗，王八羔子却是条死狗。

王八羔子，它不是野狗却被捕；它没有经过打针被处死，是被人打死的。但……总是死在自己的屋子里。

——原载二〇一二年五月《文讯》杂志第三一九期

斗室里的"大观园"

张作锦 / 文

二十世纪研究红学的人有很多大师级人物，如蔡元培、严复、王国维、林琴南、陈寅恪、梁启超、胡适等人；他们以下有俞平伯、周汝昌；再之后有周策纵、高阳、赵冈和刘心武等等。其中多数人都是"票友"，他们的学问重点并不在此。比较以红学为研究"专业"的，还应算俞平伯和周汝昌。他们两位走了以后，谁为柱梁，继续把"红楼"撑起？

中共一九四九年建政不久，政治运动即接二连三，其中声势浩大者如"批判胡适"运动。这件事，就是以俞平伯的红学为借口发动的。

一九五四年九月，毛泽东使人写文章，指俞平伯看不到《红楼梦》伟大的反封建精神，而倾向于胡适的"主观主义"和"唯心主义"。其实，毛泽东真正在意而未说出口的是胡适的"自由主义"，因为它妨害毛的独裁统治。郭沫若负责领军，批胡运动轰轰烈烈展开，学术界无人可幸免参与。周汝昌研究红学，自更应表现积极。其实周汝昌是不该批胡的，因为是胡把他一手拉进"红楼"，是他的"恩师"。

周汝昌一九四〇年入燕京大学西语系就读，是时胡适发表考证文章说，因为敦诚《四松堂集》的出现，世人由此知道曹雪芹其人其事，但敦敏的《懋斋诗钞》却遍寻未得。敦诚和敦敏兄弟是曹雪芹的朋友，他们的诗文里有不少曹雪芹的材料。

周汝昌偶然在学校图书馆里发现《懋斋诗钞》，据此写了一篇《曹雪芹生存年之新推定——〈懋斋诗钞〉中的曹雪芹》，登在《民国日报》上。此时在北大任教早已"名满天下"的胡适，立即给周汝昌写信，称他"先生"，赞扬他得到《懋斋诗钞》的贡献。周汝昌由此与胡适"订交"，不过多以书信往返，见面只有一次。就在那次见面，胡鼓励他继续研究《红楼梦》，周大胆提出向他借三本书，包括《甲戌本脂砚斋重评石头记》、《四松堂集》和戚蓼生序本《石头记》，这些都是价值连城的书，尤其甲戌本，世人根本都未见过。但胡适一诺无辞，三本书统统借了，而且以后提都不提。直到一九四九年大陆将"解放"，胡适离北平去南京的前夕，周汝昌才把三书送还胡宅。甲戌本一直随胡适播迁到台湾，现存南港中研院。

周汝昌长期专注而辛勤地研究与出版，使他从"红学专家"晋身为"红学泰斗"。二〇〇六年他撰成《我与胡适先生》，记他与胡的忘年交，且有诗颂曰：

> 肯将秘笈付他人，不问行踪意至深。
>
> 谁似先生能信我，书生道义更堪珍。
>
> 平生一面旧城东，宿草离离百载风。

常念有容方谓大，至今多士尚研红。

　　周汝昌的住宅在北京市朝阳区，二〇〇六年八月我去拜访他。八十九岁的人了，眼睛几已全盲，耳又重听，但谈起红学，精神就来了。他指出，《红楼梦》不仅是一部小说，且是代表中华文化的一本书。文化两大命脉是道德与才情。曹雪芹思考了社会、伦理、道德、家庭及人己、物我等这类关系之后，就写了《红楼梦》，是人间罕见的著作。

　　由于《红楼梦》的魅力，晚年的周汝昌虽目盲耳聋，仍躲在他的书房里钻研红学，由他口述，家人记录，红书一本本地问世。

　　提起他的书房，叫人感叹，面积恐只有十几个平方米，会客、吃饭都在这里。家具简单，且多破旧。大陆已经富了，应"富而好礼"，让"国家级"的学者过一点体面的生活。不过周汝昌似乎并不介意，他身在陋室，却神游"大观园"，且乐而忘返。

　　只是周汝昌一走，老一辈的红学家到此告一段落。后人谁为梁柱，撑得起这座"红楼"？

　　　　　　　　　　　　——原载二〇一二年八月二日《联合报》副刊